Les roues ne tournent pas toutes aussi vite

Patrick Guillot

Les roues ne tournent pas toutes aussi vite

Roman

LE LYS BLEU
ÉDITIONS

Avant-propos

Beaucoup a été écrit sur le dopage et je serai un de plus à m'y essayer. Certains vont jusqu'à affirmer formellement que le dopage est l'unique solution ayant été trouvée pour accéder à la performance, alors même que notre société est organisée autour du culte du résultat. Alors, pourquoi ne pas valider une démarche inéluctable ?

Non seulement je pense qu'il faut s'interroger sur une société qui valorise à ce point la performance, ce qui ne signifie pas nier les différences et même l'existence d'élites, mais si on devait y arriver, cela prendrait du temps ! Pour autant, doit-on accepter que certains trichent pour arriver à leurs fins ? Je crois évidemment que non. S'il devait en être autrement, alors pourquoi s'arrêter à la triche permise pour la performance sportive, alors qu'on devrait justifier de la même démarche dans le monde de l'entreprise, ou encore dans la sphère privée, avec toutes les dérives qui pourraient arriver. Et puis, comment valider la triche légale de celle qui est illégale, ce qui induirait de ne plus sanctionner le voleur, le menteur, que ce soit en politique ou les délinquants, y compris violents ? Non, je ne souhaite pas d'une telle société !

Il faut par ailleurs se mettre d'accord sur ce qui s'appelle dopage : parle-t-on seulement de produits interdits, améliorant la récupération ou la capacité à mieux récupérer pendant et après l'effort ? Faut-il penser que l'entraînement en altitude est en soi un dopage, puisqu'il permet artificiellement d'augmenter le nombre de globules rouges, au même titre que les sportifs indigènes de régions où l'altitude est plus élevée que pour la majorité des autres compétiteurs ? Doit-on aller dans la définition du dopage mécanique, technologique, allant de l'allègement maximal des outils utilisés en sport au travail d'aérodynamisme travaillé en soufflerie, en passant par des artifices permettant de tricher, d'améliorer son positionnement, voire la performance directement par le recours à l'innovation technologique ?

Il me semble difficile de rejeter l'innovation technique, d'autant qu'elle doit servir au plus grand nombre par la suite, mais il est indispensable que cette innovation ne serve pas qu'au bénéfice de quelques sportifs, parce qu'ils auraient des moyens financiers que les autres n'ont pas. Pour les gains obtenus par l'entraînement, c'est l'essence même du travail du sportif de compétition de repousser ses limites, tant à l'entraînement qu'en compétition, d'où l'intérêt de s'appuyer sur des procédés d'optimisation de l'effort, mais sans créer un artifice, comme peut l'être en effet le travail en altitude, peu de temps avant une compétition. Cette démarche, par ailleurs potentiellement dangereuse pour les athlètes, va de plus dans le sens, autant que le recours à des produits illicites, d'une tentative d'élimination de l'aléa en matière sportive. En effet, plus le sport est empreint de professionnalisme, plus l'argent y circule, avec notamment des investissements, parfois plus que conséquents. Or, les financeurs veulent un retour positif, voire très positif, comme dans le cas de placements boursiers, à plus ou moins long terme, d'où la nécessité qu'il y ait de moins en moins d'aléatoire dans le sport ! Comme exemples, je peux citer : les oreillettes mettant les coureurs aux ordres des directeurs sportifs plutôt qu'à leur propre instinct, sous prétexte d'améliorer la sécurité, les modifications fortes et nombreuses des règles du rugby depuis qu'il s'est professionnalisé, se traduisant par plus de jeu très conventionnel, pour ne pas dire convenu, ou encore l'organisation de championnats internationaux, où existent des poules de classement plutôt que des rencontres à élimination directe dès le début de la compétition.

Avant même de s'interroger sur la nocivité des produits ou de l'inégalité de traitement en fonction des sports et/ou des moyens mis à disposition, il est essentiel de s'interroger sur la nécessité de maintenir de l'aléatoire dans le sport ! Le fait que le petit puisse terrasser le puissant fait toute la beauté du sport et qu'aucun scénario ne puisse être écrit au préalable. Les spectateurs, ainsi que les téléspectateurs sont friands de cette éventualité, étant concernés régulièrement par des histoires qui tiennent en haleine jusqu'au dénouement, y compris avec surprise. L'ambiguïté vient parfois des médias eux-mêmes : une épreuve avec des rebondissements et une issue inattendue peut être synonyme d'audiences toujours plus prometteuses, mais ils peuvent être tentés d'une certaine façon d'être « complices » des investisseurs, étant eux-mêmes de ceux-là, du fait des droits de retransmission, souvent de plus en plus conséquents. Et puis, les sportifs eux-mêmes auront tendance à vouloir garder la possibilité de garder autant d'argent dans leur discipline, leur assurant de fait, autant qu'à leur entourage privé et professionnel, un niveau de rémunération suffisant. Pour ce faire, ils ont tendance à être rétifs aux démarches diminuant le poids des sponsors, financeurs divers, même si l'objectif devait être la lutte antidopage, leur propre protection physique et apporter plus d'éthique dans le sport.

J'ai choisi volontairement le cyclisme comme support à la réflexion sur le dopage. Pas parce que c'est le seul sport concerné par ce fléau, mais parce que cela évoque des histoires du passé très connues. Citons par exemple le coureur britannique, Tom Simpson qui meurt sur les pentes du mont Ventoux en 1967, l'affaire Festina en 1998, la mort bizarroïde du coureur italien Marco Pantani, avec en fond la notion de dopage, et sans oublier les sept titres de vainqueur du tour de France, annulés après que Lance Armstrong a été convaincu de dopage. Pourquoi, n'a-t-on pas été plus loin dans la recherche des coureurs réellement dopés et ceux qui n'avaient rien à se reprocher, les années concernées étant indiquées « sans vainqueur » ? Si on revient sur l'affaire Festina, j'ai toujours été persuadé que si dopage il y a eu dans cette équipe, c'était pour s'organiser pour lutter à armes égales avec d'autres équipes, celles-ci n'étant pas inquiétées par l'UCI, le témoignage non démenti de son ancien directeur sportif étant très éclairant.

C'est aussi la raison pour laquelle j'ai choisi de situer le début de l'intrigue de ce roman en 1998, de manière à s'appuyer sur des réalités de l'époque, étayant ainsi le fond, le décor de l'action, mais tout en ayant recours aux vertus du roman. Il s'agit d'une certaine manière d'un roman policier, puisqu'un meurtre y est commis, mais c'est aussi l'occasion d'aborder des éléments liés à l'amélioration possible dans le travail des sportifs et la possibilité de pouvoir lutter efficacement contre le dopage. Nous sommes plus de vingt ans après, et la réalité est que les choses ont bougé, mais si peu, et que les tricheurs ont sûrement encore pris de l'avance. Pourtant, il ne s'agit que de volonté de bien faire, d'autant que cela ne saurait être que légitime vis-à-vis des sportifs qui font l'effort de respecter une certaine éthique dans leur pratique.

Chapitre 1
Un matin où tout bascule !

Il entend un bruit sourd, bouscule toutes ses pensées, se dit qu'il va sortir de ce rêve trop violent, trop insupportable. Le temps de reprendre sa route au sein de son sommeil, il entend à nouveau ce bruit sourd et répétitif et se dit alors que trop c'est trop. Il se retourne dans son lit, réajuste la couette et s'apprête à replonger dans les bras de Morphée, et voilà que c'est un son strident qui l'insupporte. Pourtant, ce bruit lui est familier : se pourrait-il que ce soit la sonnerie de son logement ? Alors, il ouvre un œil, tend l'oreille, et à nouveau le même manège, plus insistant encore. Il émerge quelque peu de la brume cotonneuse de sa nuit, tend un regard furtif vers le réveil et voit les cristaux rouges indiquer « 6:00 ». Au même moment, il entend une voix puissante, grave et rocailleuse, lui asséner un « POLICE, OUVREZ S'IL VOUS PLAÎT ! ».

Il émerge assez brutalement de sa torpeur, jette un coup d'œil sur sa gauche où est allongée son épouse, elle aussi sortant brutalement de son sommeil. Il se redresse, cherche son slip, l'enfile, tout en conseillant à sa femme de s'habiller, au cas où. Puis, il se lève, va chercher un tee-shirt. Il ne l'a pas encore enfilé que la même voix se fait à nouveau entendre : « POLICE, ON SE DÉPÊCHE !!! ». Il tente de répondre, avec un léger :

« J'ai bien entendu, mais laissez-moi le temps de m'habiller, et éviter de faire autant de bruit... merci d'avance », ce qui lui permet de sortir de la chambre, de refermer la porte, de finir d'enfiler le peu qui lui permet d'être décent et enfin d'arriver au bout du couloir, puis rapidement dans l'entrée et d'ouvrir la porte, avant de découvrir pas moins de cinq, voire six personnes, dont un homme nettement plus âgé que lui, la cinquantaine affirmée, d'un aspect massif, du fait d'une stature faisant penser à un pilier de rugby, plus proche des joueurs à l'époque du rugby des champs, au moment où l'amateurisme dominait largement, que de ceux du rugby professionnel. Il se présente ainsi :

« Clovis Mourdin, capitaine du commissariat d'Arpajon, je suis bien à l'adresse où réside M. Victor Larcher et j'imagine que c'est vous-même ? »

Un peu interloqué, Victor répond en balbutiant légèrement : « C'est bien moi ! Mais... il est très tôt... »

« Cela est vrai, mais c'est l'heure légale à partir de laquelle nous pouvons effectuer une perquisition », renchérit le policier, tout en brandissant la commission rogatoire et après avoir rangé son insigne de fonctionnaire de police. Il continue : « Vous êtes seul ? »

« Non, vous avez déjà réveillé ma femme, mais j'espère que ma fille de 11 ans n'a pas été réveillée trop brutalement ! »

« Où sont-elles ? » lui rétorque-t-il, sans aucun ménagement minimal et en indiquant à ses subalternes de commencer à entrer dans la maison.

Victor réagit alors, de manière à vouloir protéger sa famille : « C'est possible de respecter les gens et de leur laisser le temps d'émerger et au moins de s'habiller ! » Le temps de ces quelques échanges aura été suffisant pour que Marine Larcher, son épouse, sorte de leur chambre et vienne aux nouvelles : « Que se passe-t-il ? » Elle n'a pas l'air spécialement déboussolée par la vision de six fonctionnaires de police, deux étant en civil et les autres en uniforme, portant des cartons et des sacs en plastique, contrairement au capitaine de police, légèrement stupéfait devant une telle femme. Il faut dire qu'elle est superbe : un visage angélique avec de longs cheveux blonds et ondulants, captant la lumière du jour, et ce sans maquillage, mais également une allure qui dégage quelque chose de racé, malgré le pantalon de survêtement et le sweat-shirt qu'elle s'est empressée d'enfiler pour être présentable. Après un temps d'hésitation, Clovis Mourdin lui adresse une question assez sèche : « Où est la chambre de votre fille ? »

Marine indique alors l'étage, mais interrompt aussitôt les agents de police et s'adresse à leur supérieur : « Vous pouvez me laisser m'assurer qu'elle se réveille dans de bonnes conditions et qu'elle puisse s'habiller pour être présentable et respecter la pudeur d'une jeune adolescente ! »

Le policier fait alors un signe à une des fonctionnaires, pour qu'elle accompagne Marine auprès de sa fille. Tandis que les deux femmes montent à l'étage, Clovis Mourdin accompagne les trois autres agents en uniforme vers la grande pièce à vivre, tandis que son adjoint amène Victor dans la cuisine. Durant les quelques secondes qui permettent aux deux hommes d'y arriver, Bruno Maupuis ne peut s'empêcher de lui confier qu'il est un de ses admirateurs inconditionnels et qu'il ne peut se résoudre à être satisfait de la situation. Il s'interrompt rapidement, conscient qu'il en a peut-être trop dit.

Mais de qui est-il admiratif ? Qui est ce Victor Larcher ?

Il s'agit d'un cycliste de niveau international ayant déjà atteint les 38 ans et dont le palmarès est plus que conséquent, avec trois carrières en une, et ce après avoir commencé très jeune et de manière très prometteuse dans le rugby. C'est donc un cador, notamment pour le cyclisme, sa carrière commençant en 1984. De son début de carrière jusqu'en 1988, c'est une trajectoire d'excellence pour les classiques ou les échappées fleuves dans les courses à étapes, avant de fournir des efforts spécifiques quant à l'entraînement et sur le poids de manière à être plus efficient en contre-la-montre et en altitude, ce qui lui permettra d'être très performant aussi dans les courses à étapes au niveau du classement général et même de finir en tête du classement mondial. Sa fin de carrière, soit depuis 1994, est alors dédiée au passage de relais au profit de jeunes coureurs. Pour se rendre compte du caractère très exceptionnel d'une telle carrière, il faut intégrer que cet homme d'1m85 et un peu de moins de 80 kg aura été capable de perdre de l'ordre de 7 kg, tout en gagnant en résistance. Ainsi le palmarès du cycliste est le suivant :

• 1984 ; 5ème de Paris-Roubaix, vainqueur d'une étape dans le Giro (Tour d'Italie), 3ème de Liège-Bastogne-Liège & 2ème de la flèche wallonne, ce qui n'était déjà pas rien pour un début de carrière à 24 ans,

• 1985 ; 5ème du Tour de Lombardie, vainqueur de 2 étapes dans le Giro ainsi qu'une dans le Tour de France (de plus le jour de la fête nationale), 3ème des championnats du monde, 2ème de Paris-Roubaix et de la flèche wallonne, vainqueur des 5 jours de Dunkerque, du grand prix de Plouay et de Liège-Bastogne-Liège,

• 1986 ; vainqueur d'une étape dans Paris-Nice où il termine 10ème au général, ainsi que de deux étapes dans le Tour de France, dont une en contre-la-montre, et une dans la Vuelta (Tour d'Espagne), vainqueur de Paris-Roubaix et de Liège-Bastogne-Liège, champion de France le jour de son anniversaire et champion du monde,

• 1987 ; vainqueur de 2 contre-la-montre dans le Tour de France ainsi que dans la Vuelta, mais aussi champion du monde en contre-la-montre, vainqueur de la flèche wallonne, mais aussi doublés avec 2ème victoire d'affilée dans Paris-Roubaix et au Championnat de France, mais aussi 8ème de Paris-Nice, en étant très proche du podium,

• 1988 ; victoire d'étape en montagne dans le Dauphiné Libéré, 10ème au général du tour de France, 6ème au général de la Vuelta, ainsi que de Paris-Nice et 3ème du Championnat du monde,

• 1989 ; 2 victoires d'étape dans le Dauphiné Libéré, où il finit 5ème au général, 8ème au général du tour de France, 5ème au général de Paris-Nice, 3ème au général de la Vuelta et vainqueur de Liège-Bastogne-Liège et du tour de Lombardie,

• 1990 ; 3ème du Dauphiné Libéré, ainsi que du tour de France, où il remporte un contre-la-montre en terrain accidenté et 2 étapes, dont celle arrivant au Mont-Ventoux, vainqueur de Paris-Roubaix, de Liège-Bastogne-Liège, de la flèche wallonne, mais aussi du Championnat du monde en contre-la-montre et enfin champion de France, vainqueur de Paris-Nice et de la Vuelta, terminant numéro 1 mondial, le futur crack Wolfgang Cheskowic terminant numéro 4, devenant le leader de son équipe par la suite

• 1991 ; 5ème du Tour de Lombardie et au général du Tour de France avec une victoire en contre-la-montre, 2ème du Dauphiné Libéré avec 3 victoires d'étape mais aussi 2ème au général de la Vuelta, finissant 3ème mondial, juste derrière

Cheskowic et devant Elvis Monroe, futur leader mondial et rival de son équipe

- 1992 ; 1 seule victoire d'étape dans le Tour de France, 4ème au général de la Vuelta et deux victoires d'étape, champion de France du contre-la-montre, vainqueur du Tour de Lombardie et vainqueur au final du Giro, avec 5 victoires d'étape, finissant 4ème mondial, les numéros 1 et 2 étant respectivement Cheskowic & Monroe,

- 1993 ; quelques victoires dans des étapes sur différents tours et des places d'honneur dans les classiques, finissant seulement 7ème mondial, Cheskowic et Monroe n'étant respectivement que 2ème et 3ème ;

- 1994 ; toujours quelques victoires dans les courses à étapes et vainqueur de la flèche wallonne, finissant 8ème mondial à tout de même 34 ans, alors que Monroe est numéro 1 pour la première fois, juste devant Cheskowic,

- 1995 ; vainqueur de Liège-Bastogne-Liège et du Tour de Lombardie, son parcours étant plus celui d'un capitaine de route, les deux premiers mondiaux étant classés de manière identique, alors qu'il remonte à la 6ème place,

- 1996 ; vainqueur du grand prix de Plouay, mais aussi 5ème mondial, juste derrière Fabrice Dufnac, jeune cycliste d'alors 21 ans, qu'il a pris sous son aile, les deux premières places restant inchangées,

- 1997 ; vainqueur du tour de Lombardie, et au final numéro 4 mondial, devançant son jeune successeur et laissant toujours les deux mêmes aux premières places,

- 1998 (pas encore achevée) ; quelques bonnes places en contre-la-montre, le faisant tout de même redescendre à la 15ème place mondiale, mais à 38 ans, la fin de saison voyant toujours Monroe leader mondial, juste devant Dufnac, Cheskowic

16

rétrogradant à la 4ème place et un jeune poussin, Laurent Douaneau, jeune surdoué d'à peine 20 ans, atteignant la 8ème place.

Après cette brève allusion à son parcours sportif, particulièrement connu et apprécié par le jeune policier, le compétiteur de légende comprend alors qu'il n'aura rien de plus de sa part et doit se contenter de le laisser examiner tiroirs, placards, mais aussi récupérer des ustensiles, comme du fil de cuisine, des couteaux et différents éléments de cette pièce, qui sont rangés méticuleusement dans un carton, après avoir été placés dans des sacs en plastique, tels ceux utilisés pour la congélation. Pendant ce temps, le plus âgé, assisté de 3 autres policiers, procède de la même façon dans la salle de vie, le salon donnant sur la salle à manger faisant pas moins de 50 m², mais avec peu d'éléments à prendre en compte. Peu de temps après, Marine Larcher et sa fille Perrine, accompagnées de la policière en tenue, descendent à leur tour, rejoignant le boss ainsi que le jeune inspecteur et Victor dans le salon. Ensuite, il leur est demandé ce qui reste comme pièces et leur localisation, c'est-à-dire une buanderie, une salle de bains, un bureau, ainsi qu'un garage pour la partie basse, ou encore un autre bureau, celui de Marine, une autre chambre que celle de leur fille, ainsi qu'une salle de bain, au 1er étage, dans le prolongement d'une mezzanine. Alors que la policière qui a accompagné Marine pour gérer le réveil de Perrine reste avec la petite famille, les autres policiers se répartissent le travail dans les pièces ainsi restantes : le garage pour le jeune inspecteur et un policier en tenue, le bureau de Victor pour Clovis Mourdin, la buanderie et la salle de bain du bas pour un autre policier, le dernier d'entre eux se chargeant d'abord de la chambre de Perrine. Pendant que le garage prend du temps, le bureau, la salle de bain et la chambre supplémentaire sont investigués par le patron et les deux policiers à nouveau disponibles. Au bout d'une petite heure, tout ce monde a pu remplir pas moins de huit cartons, dans lesquels on trouve des ustensiles de cuisine, des outils, des CD et des disquettes ou encore un disque dur, en plus des ordinateurs portables et de quelques agendas ou encore blocs note, ce qui ne ravit pas les Larcher.

Et Victor d'invectiver les policiers : « On peut savoir à quoi cela rime ? J'ai comme l'impression que c'est à moi que vous en voulez, même si je ne sais pas ce que vous me reprochez, mais pourquoi alors embarquer les affaires de ma fille, ou encore l'ordinateur de ma femme, ainsi que des plans qui lui sont utiles, puisqu'elle est architecte ? »

« On sait tout ça, M. Larcher, mais nous faisons notre devoir et dans le respect de la commission rogatoire délivrée par le juge Bouille. Voulez-vous le vérifier à nouveau ? »

« Non, pas nécessairement, mais je trouve que cela reste exagéré, d'autant plus sans savoir ce qui m'est reproché ! »

« Bon, on a un peu de route pour retourner au commissariat, et nous allons donc continuer là-bas ! Vous me suivez ! », le geste accompagnant la parole, avec la main qui se positionne de l'autre côté du thorax, le policier enserrant de son bras droit le sportif, tandis que l'ensemble des policiers amènent les cartons à l'extérieur en rejoignant les trois véhicules stationnés devant la maison, alors même que Victor se rend compte qu'une équipe technique et scientifique de la police finit de travailler sur les véhicules de la famille, les clés ayant été récupérées un peu plus tôt, sans qu'il n'y ait alors prêté attention. Alors que les mêmes spécialistes entrent chez lui, il comprend alors qu'il s'agit sûrement de quelque chose d'assez grave et s'adresse alors à sa femme : « Chérie, tu peux prévenir Sylvie ! »

Il est alors 7 h 30 quand la petite troupe quitte la maison du sportif. Pendant la petite heure qui les amène au commissariat d'Arpajon, l'atmosphère est irrespirable, personne ne décrochant un mot, ce qui contribue à inquiéter un peu plus Victor. De son côté, son épouse a téléphoné dès son départ à Sylvie Michalon, leur avocate, qui lui indique qu'elle s'occupe de tout, d'autant qu'il faut laisser le temps à la petite troupe d'arriver au commissariat. Pour Marine, la situation n'en est pas moins pesante, avec cette petite troupe qui passe de pièce en pièce. Elle finit par leur demander si elle peut amener sa fille au collège, ce qui est possible puisque sa voiture n'intéresse pas les fonctionnaires, contrairement à celle de son époux. Ce n'est pas fait pour la rassurer, mais elle tient à ce que la journée se continue autant que faire se peut comme à l'habitude pour sa fille. Une fois rapidement habillées, elles font le voyage jusqu'au collège, Marine étant de retour vers 8 h 45. Entre temps, Victor a été amené dans un bureau, où les deux fonctionnaires en civil du matin commencent à l'auditionner :

« Je ne vous ferai pas l'affront de vous demander si vous êtes bien Victor, champion de cyclisme depuis plusieurs années, n'étant pas par ailleurs un admirateur des fous de la pédale, contrairement à mon jeune collègue ! J'ai tout de même besoin de valider des informations d'ordre administratif, c'est-à-dire date et lieu de naissance, identités des parents, ainsi que de votre famille proche, épouse, si tel est le cas, et enfant à charge. C'est à vous ! » le ton étant plutôt péremptoire, limite agaçant, ce qui ne déstabilise pas plus que cela notre champion, qui en a vu d'autres dans sa longue carrière.

Un brin amusé, quoique fatigué par ce lever aux aurores, le champion répond : « Je suis bien Victor Larcher, champion cycliste en effet, né le 28 juin 1960 à Poitiers, mon père étant Gustave Larcher, né à Lyon en mars 1937, ingénieur, bientôt à la retraite, ma mère Mireille, étant née Meyer à Grenoble en mai 1938, traductrice-interprète à la retraite. Je suis mariée depuis le 1er juin 1985 à Marine, née Bériot le 20 septembre 1961 à Deauville, architecte DPLG, et nous avons tous deux une fille, Perrine, née le 14 mai 1987 à Versailles, que vous avez croisée ce matin en la réveillant particulièrement tôt ! »

« Monsieur Larcher, je ne fais que mon travail et je pourrais également vous préciser que pour moi aussi, la journée a commencé très tôt. » Puis, il continue : « Connaissez-vous M. Brice Gallopin ? »

« Évidemment que je le connais ! Pourquoi cette question ? »

« Comment l'avez-vous connu et à quel point il compte pour vous ? »

« Je l'ai rencontré la première fois en 1981, ai sympathisé très vite avec lui, l'ai ensuite côtoyé professionnellement, puisqu'il est le médecin de mon équipe depuis 1992, mais surtout mon ami. J'insiste pour savoir le pourquoi de cette question ! »

« C'est à moi qu'il revient de poser les questions, monsieur le champion ! Vous dites que c'est votre ami, mais auriez-vous quelque chose à lui reprocher, même en tant qu'ami ? »

« Non, rien du tout, c'est même une référence importante pour moi sur lequel je peux même me reposer et il m'a beaucoup aidé dans ma carrière sportive. »

« Quelles sont les relations avec le reste de la famille ? »

« C'est un ami de l'ensemble de la famille et son avis en matière de santé compte beaucoup pour nous, même si ce n'est pas le médecin traitant, tant pour ma fille que pour ma femme. »

« Quels liens a-t-il avec votre épouse ? »

« C'est quoi ce type de questions ? Est-ce que c'est mon ami ? Quelles sont les relations entre mon meilleur ami et ma femme et puis quoi encore ? Vous trouvez pas que vous poussez un peu loin le bouchon ? »

« Allons jusqu'au bout de la question : M. Gallopin et votre épouse sont-ils très proches ? Suffisamment pour qu'il puisse y avoir un doute sur leurs relations ? »

« Et puis quoi encore ! Nous sommes heureux en ménage, nous sommes satisfaits de notre amitié que nous vivons pleinement. Nous sommes proches sur le plan professionnel, y compris pour ma femme, puisqu'elle a été l'architecte de sa maison. Mais rien de plus ! D'ailleurs, je ne répondrai pas plus à vos insinuations débiles ! »

« Ça tombe bien, on va changer de domaine. Où étiez-vous hier soir vers 20 h 30 ? »

« 20 h 30, vous dites ! Eh bien justement, je devais être chez Brice. Pourquoi ? »

« Chez lui, vous êtes-sûr ? »

« En fait, devant chez lui. J'avais rendez-vous avec lui, mais il n'était pas là. Au bout de quelques minutes, j'ai fini par repartir, non sans avoir cherché à le joindre, y compris quand je suis arrivé à nouveau chez moi, mais sans succès ! »

« Combien de temps estimez-vous être resté sur place, avant de repartir ? »

« Je sais pas ! Peut-être dix minutes, voire un quart d'heure ! Vous commencez à m'inquiéter ! »

« Un voisin de M. Gallopin dit avoir aperçu une Peugeot rouge devant sa maison. Vous avez bien une 508 rouge ? »

« Évidemment, et en plus vous l'avez vue ce matin ! »

« Il parle de l'avoir vue aux environs de 21 h ! »

« Là vous commencez à réellement m'inquiéter et je ne comprends pas toutes ces questions, votre arrivée tôt ce matin, la perquisition et la mise en cause de mon amitié avec Brice, et non ce n'est pas possible qu'on m'est vu vers 21 h, puisqu'il me faut près de 40 minutes pour aller de chez Brice à chez moi et que j'y suis revenu vers 21 h 30 »

« Quelqu'un peut en témoigner ? »

« Et pourquoi le faudrait-il ? Et en plus, non, ma femme et ma fille étant rentrées seulement vers 22 h 15 car elles étaient allées ensemble au cinéma. »

« Pouvez-vous me passer votre téléphone portable ? »

« Vous voulez en faire quoi ? »

« Je vous demande juste de me le communiquer, ayant juste quelque chose à y vérifier. »

Après une longue hésitation, la réponse cingle : « Connaissant mes droits, je crois que mon téléphone n'est pas dans le champ de la commission rogatoire, donc non, je ne vous le passe pas tant que je n'en saurai pas plus ! »

« Et pourtant si, le téléphone est prévu par la commission rogatoire, alors... » le policier étant alors interrompu par un autre fonctionnaire afin de répondre à un appel téléphonique. Il passe dans une pièce voisine et revient près de deux minutes plus tard, non sans avoir précisé à Victor qu'il s'agissait de son avocate au téléphone, celle-ci ayant été assurée qu'elle serait avertie si besoin en fonction de la procédure. À ces mots, Victor blêmit de plus en plus. Clovis Mourdin revient alors à la charge : « Vous me le passez ce portable ? »

« Puisque vous insistez ! » tout en tendant son téléphone à l'officier de police, qui réalise quelques opérations sur l'appareil, puis interpelle Victor : « Vous êtes sûr de ne rien avoir effacé depuis hier soir ? »

« Non, je ne pense pas, d'autant que si je me rappelle bien, la dernière fois que je l'ai utilisé, c'était devant le domicile de Brice, qui ne répondait pas, alors qu'on était censé se retrouver chez lui, sa voiture n'étant pas non plus là ! Est-ce que vous allez enfin me dire ce qu'il se passe ? »

Devant le ton excédé du champion, le policier lui assène : « Il va se calmer le coureur émérite, censé capable de maîtriser ses nerfs, mais en attendant, on va vérifier tout cela dans la mémoire de votre téléphone. » Et il part avec le téléphone, qu'il remet à un de ses collègues, tout en demandant à Victor de rester calme en attendant. Il part ensuite chercher un café, revient au bout de quelques instants avec deux cafés en plus du sien, un pour son jeune adjoint et le second pour Victor. Il boit tranquillement son café, tandis qu'il complète le PV d'audition, assis derrière son bureau, scrutant tantôt l'écran de son ordinateur, tantôt le cycliste, qui est redevenu calme, sans être très serein, mais plus maître de ses nerfs. Après une dizaine de minutes qui semblent interminables, le collègue spécialiste en téléphonie revient et donne ses conclusions à l'officier de police judiciaire.

« Il semble qu'il n'y ait pas eu d'appel entrant dans votre téléphone en provenance de celui de M. Gallopin, alors qu'il y en aurait un sortant vers le vôtre à 20 h 46 ! Avez-vous une explication à ce qui nous apparaît comme très surprenant, en plus d'autres éléments qui nous interpellent ? »

« Quels éléments, mais on joue à quoi au final ? »

« On ne joue pas, M. Larcher, et vous commencez à dépasser les bornes ! Il y a trop d'incohérence entre vos déclarations, les éléments matériels dont nous disposons et le témoignage relatif aux circonstances autour de ce début de soirée chez votre ami, M. Brice Gallopin ! »

« Quelles incohérences, je devais le rejoindre hier soir, suis arrivé vers 20 h 30 chez lui, où il n'y avait personne, pas plus lui que sa voiture, j'ai attendu, je l'ai appelé et j'ai fini par partir, tout en m'inquiétant de ce qui aurait pu lui arriver, même si j'essayais de me raisonner en me disant qu'il devait y avoir une réponse positive à tout ça ! »

« Vous êtes vraiment sûr qu'il n'est jamais arrivé avant votre départ et que vous êtes reparti vers 20 h 45 ? »

« Oui, c'est bien ça ! »

« Et que vous étiez chez vous vers 21 h 30, votre femme et votre fille ne rentrant qu'à 22 h 15, soit un trou de 45 minutes dans votre emploi du temps ! »

« Parce que j'ai besoin d'un alibi maintenant ! c'est la meilleure alors ! »

« Oui, M. Larcher, parce que votre ami a été retrouvé mort chez lui et que le légiste pense que cela s'est produit entre 20 h 15 et 21 h 15, d'où nos interrogations à votre égard ! »

« Vous pensez que je pourrais l'avoir tué ? » formule difficilement, presque en s'étranglant, Victor.

« M. Larcher, nous sommes le jeudi 3 septembre 1998, il est 9 h 29 et je vous signifie votre mise en garde à vue concernant la mort de M. Brice Gallopin, survenue dans la soirée du mercredi 2 septembre 1998. Je vais en référer dès maintenant au parquet et vous invite à suivre mon collègue pour la mise sous mandat de dépôt.

« Mais comment voulez-vous que je m'en prenne à un ami, plus que cela un homme des plus respectueux et que pour ma part j'admire au plus haut point ! Vous faites fausse route ! Je ne suis pas celui que vous recherchez ! Je suis INNOCENT, vous entendez, INNOCENT ! »

« Comme tous les coupables avant qu'ils n'avouent, M. Larcher », lui rétorque alors Clovis Mourdin, tout en signifiant à son adjoint de l'accompagner au dépôt. Bruno Maupuis s'exécute alors, demande au prévenu de se lever et de le suivre sans résister. Victor s'exécute finalement, suivant ce jeune policier, qui semble plus dans l'admiration du sportif que dans la suspicion, ce qui amène à une forme de complicité bienveillante entre les deux individus. Après avoir descendu deux étages, ils arrivent au dépôt, où ils sont accueillis par un brigadier. Celui-ci demande à Victor de vider ses poches, d'enlever ceinture et lacets, ainsi que sa montre. Ses effets personnels sont mis de côté dans des sacs plastiques et une corbeille, avant de rejoindre un râtelier, après qu'ils ont été étiquetés et recensés dans l'ordinateur. Il est ensuite invité à entrer dans une pièce lugubre, avec un banc à peine molletonné, y pénètre, s'assoit sans même prêter attention à la demande du policier, qui lui demande s'il veut manger quelque chose. Il est tellement abasourdi par le fait qu'on puisse l'accuser d'avoir tué son meilleur ami, qu'il ne réagit plus. Même le bruit de cliquetis très fort de la serrure verrouillée par le brigadier ne suffit pas à le faire rejoindre la réalité. Ce n'est que quelques minutes plus tard que l'ouverture de la porte le fait sortir de sa torpeur. Il voit alors le jeune inspecteur lui tendre un croissant et un café. Il ne bronche pas, reste silencieux, esquisse un léger remerciement. Puis, il finit par manger le croissant, se rendant à l'évidence qu'il a faim, d'autant plus que cela fait plus de trois heures et demie qu'il est réveillé. Une fois contenté, même de peu, il se recroqueville et se plonge dans ses pensées, proposant ainsi l'image d'un homme prostré, hagard, le regard vide. C'est seulement vers 11 h qu'il sort à nouveau de cet état, découvrant devant lui une image plus rassurante, apaisante même et qui est la bienvenue. Elle est là, devant lui. Sylvie est là et tout doit pouvoir s'arranger.

Chapitre 2
Garde à vue et procès à venir !

Cette femme sublime de bientôt trente-sept ans, grande, élancée, très féminine est là devant lui. Elle le regarde, un brin attendri par l'aspect désarmé de ce champion qu'elle connaît bien, mais aussi inquiète d'une forme d'apathie, qui n'est pas la caractéristique essentielle de son ami. Au milieu de sa chevelure longue, brune, soignée se trouve ce visage aimable, tendre et assuré, notamment par la fermeté du bas du visage. Ses yeux brillants, autant que perçants, permettent alors le croisement des regards des deux protagonistes, se rassurant mutuellement. Ils sont tellement complices, et ce depuis près de quinze ans, sachant que c'était la meilleure amie de son épouse depuis leur enfance. Victor et Marine étaient devenus avec une évidence toute naturelle les parrain et marraine de la fille de Sylvie, née en 1990. Malgré une carrière très prometteuse d'avocate en droit pénal et en droit des affaires, gérant à la fois un cabinet créé et en vogue dans l'Ouest parisien depuis 1986 et une carrière d'enseignante à la Faculté de droit, cette amie avait pu compter sur le soutien sans faille des époux Larcher lors de son divorce en 1993. C'était à son tour d'être à la hauteur pour soutenir son ami. Et il savait qu'il avait besoin d'elle, et elle était là, devant lui. Elle interrompt ce temps un peu suspendu, en lui apportant la précision suivante :

« Le policier en charge de l'enquête m'a exposé les faits qui te sont reprochés, et je dois dire que je suis sûrement aussi surprise que tu peux l'être. Le fait que tu sois en garde à vue te donne des droits et j'ai déjà obtenu cette rencontre, mais j'ai aussi obtenu que tu aies un peu de répit avant la reprise de tout interrogatoire, d'autant que j'avais un rendez-vous en tout début d'après-midi que je ne pouvais décaler. »

« Merci pour ce que tu fais, j'en ai vraiment besoin, vu que je suis perdu. Comment as-tu fait pour obtenir ce délai ? »

« J'ai été honnête avec lui en lui précisant que s'il recommençait à t'interroger hors ma présence, il risquait le vice de procédure et ça a suffi à le rendre raisonnable. Du coup, nous avons du temps pour échanger, puis tu auras une pause avant une reprise avec la police pas avant le milieu d'après-midi. »

« Donc, il t'a dit qu'il me soupçonnait d'avoir tué Brice ! »

« Non seulement il me l'a dit, mais il en est persuadé ! Qu'est-ce qui peut lui faire penser une telle chose ? Au passage, dis-moi tout ce qui te passe par la tête, n'oublie rien dans les faits que tu connais, c'est essentiel pour assurer une bonne défense. »

« Il m'a dit que Brice a été tué entre 20 h 15 et 21 h 15 selon le légiste et il sait que je me suis rendu sur place vers 20 h 30. Après, il ne me croit pas quand je lui explique que j'y suis resté à peine un quart d'heure, que je n'ai trouvé personne sur place, que je suis rentré à la maison, où Marine et Perrine m'ont rejoint vers 22 h 15, après leur séance au cinéma. »

« Tu as donné tous ces éléments de bonne grâce ? »

« Plutôt oui, même si je ne savais pas ce dont il était question, puisque c'est après ces détails qu'il a décidé de me placer en garde à vue. »

« À part le défaut d'alibi, qui n'est pas une preuve en soi, qu'a-t-il pour imaginer que tu es le principal suspect ? »

« Un voisin de Brice semble bien avoir vu ma voiture, mais donne une heure de départ plus vers 21 h, ce qui fait une différence avec ce qu'il s'est passé. C'est un peu mince, non ? »

« Oui, et… non, c'est pas suffisant pour te déclarer coupable, mais ça fait deux témoignages divergents. Il faudra pour autant qu'il trouve plus d'éléments à charge pour que cela tienne. Pour autant, je vais prendre ce dossier très sérieusement par principe, d'autant plus avec ce policier, qui est une pointure en déliquescence et qui est plus que certain de ta culpabilité ! »

« Que veux-tu dire par là ? C'est qui ce Clovis Moupin ? »

« Clovis Mourdin. C'est un brillant enquêteur, proche de la retraite. Il a un passé on ne peut plus talentueux, passant par la campagne d'Indochine juste après des études scientifiques brillantes, lui apportant une expertise dans les forces spéciales et dans le renseignement. Il entre dans la police dans les années 60 et gravit rapidement les échelons ; commissaire à peine dix ans plus tard, puis divisionnaire en 1985, quand je finissais mes études de droit. Je l'ai ensuite croisé à plusieurs reprises quand il œuvrait au 36 quai des Orfèvres, et ce jusqu'en 1995, où il a joué de maladresse dans un dossier sensible politico-financier en marge d'une enquête criminelle. Depuis, il a été nommé commissaire à Arpajon, où il est le patron d'un placard en attendant la retraite. Autant dire que tu es son passeport pour revenir dans les petits papiers de sa hiérarchie ! »

« Tu as pu croiser son adjoint, un certain Bruno ? »

« Oui, rapidement, celui-ci est plus discret et mesuré. Pourquoi cette question ? »

« Parce qu'il semble m'être plus favorable, a priori même un peu admiratif de ma carrière de champion ; »

« Ça peut être une bonne chose, d'autant que son supérieur est plus fana de rugby que de cyclisme ! »

« C'est pas si mal que ça, vu mon passé ! »

« Ah, oui, j'oubliais cette partie de ton passé, mais c'était avant qu'on ne se connaisse. Sinon, explique-moi concrètement ta journée d'hier, pour que je ne manque aucun élément et que je me prépare au mieux pour ta défense. »

Il hésite à lui confier l'existence d'états d'âme de son ami médecin, ne voyant pas le lien avec sa mort, ou peut-être ne voulant pas la voir, puis finit par lui expliquer le plus cliniquement possible sa journée et ce qu'il en sait des autres protagonistes. Ils se sont croisés au siège de la société dans la matinée, avant que Victor n'aille s'entraîner, ayant convenu de se voir chez Brice, à Limours, dans cette superbe maison que lui avait dessinée Marine. Ils avaient rendez-vous à 20 h 30, ce rendez-vous étant d'autant plus facile que l'épouse du médecin était en stage professionnel à Lyon et que Marine devait récupérer Perrine à la sortie des cours, faire quelques courses relatives à la rentrée scolaire, manger un bout avant d'aller au cinéma à Versailles ou à Rambouillet. Il s'est donc rendu chez Brice et il n'y avait personne, pas plus lui que sa voiture, les volets étant fermés. Il a alors appelé sur le fixe qu'il a entendu de l'extérieur, mais sans réponse et de même sur le portable. Après avoir attendu, un brin inquiet mais persuadé qu'il y aurait une explication logique à cette situation surprenante, il a fini par repartir pas plus d'un quart d'heure plus tard, de retour à son propre domicile, à Hanches, juste à côté d'Epernon. Il y est arrivé vers 21 h 30, s'est concocté un plateau-repas léger, attendant le retour de sa femme et de sa fille, mais aussi un appel de Brice, après qu'il eut encore essayé de le joindre. À l'arrivée de ses femmes, vers 22 h 15, ils ont échangé sur la journée au collège de Perrine, sur le film qu'elles ont vu ensemble. Il s'agissait de « 6 jours, 7 nuits » avec Harrison Ford et Anne Heche, à défaut d'aller voir Armageddon, trop long pour une soirée en semaine. Leur fille est allée rapidement se coucher et le couple a pu échanger un peu sur leur journée respective, Victor laissant de côté le rendez-vous manqué avec Brice, d'autant que ce rendez-vous n'avait été convenu que le matin même, Marine ne pouvant être au courant. La suite, c'est ce réveil brutal à 6 h par la police, la perquisition qui s'en suit, et l'enchaînement jusqu'à cet échange avec son avocate.

« Si tout s'est passé comme cela, il y a en effet un défaut d'alibi, mais il leur faudra aussi des éléments à charge, qui n'existent pas, ce qui est bon pour toi. »

« J'espère que tu dis vrai et comment va ta meilleure amie ? »

« Elle va bien, elle est un peu secouée. Elle a réussi à trouver le temps d'amener Perrine au collège pour éviter du mieux possible que votre fille soit encore plus perturbée par cette situation. Vu qu'elle avait un gros dossier à gérer aujourd'hui, elle a reporté la plupart de ses rendez-vous de la matinée pour cet après-midi, a été présente pendant la fin des investigations de la police scientifique à votre domicile, et elle assume maintenant sa journée de travail jusque vers 18 h. »

« Et pour moi, ça va donner quoi ? »

« Tu vas d'abord te reposer autant que faire se peut, manger ce qu'on t'amènera, histoire d'avoir des forces pour supporter la suite, qui sera d'abord une reprise d'interrogatoire, où je serai présente, mais il n'est pas impossible que tu passes la nuit prochaine ici, puisque ta garde à vue peut aller jusqu'à demain 9 h 30 et même prolongée sur avis du magistrat en charge du dossier, qui n'est pas encore nommé définitivement. Je me charge de passer ce soir chez toi pour expliquer les choses à ta femme et à ta fille et surtout les rassurer. »

Le brigadier de service les interrompt alors, signifiant la fin de l'entretien et en profitant pour savoir si Victor avait une préférence quant au repas lui étant préparé. Ce dernier répondit par la négative, salua Sylvie en la remerciant encore et se replongea dans une attitude de repli sur soi. Quelques minutes plus tard, il enfournait finalement assez facilement le sandwich jambon-beurre-gruyère que le brigadier lui avait amené, puis la part de flan pâtissier, agrémenté d'un soda. Il se cale ensuite dans l'angle de la petite pièce, la digestion faisant son œuvre et ses pensées le reste. Son imagination le transporte alors le 17 février 2003, date où débute son procès.

Il entre, menottes aux poignets, dans le box des accusés, fatigué voire lessivé par plus de quatre années passées en cellule, loin des siens, fauché en pleine gloire, mais presque rassuré que cela se termine. Il aperçoit alors Sylvie, son avocate, ce qui l'apaise un peu et le rassure sur son dévouement qui est resté intact. Il s'assoit, tout en cherchant son épouse, dont il finit par croiser le regard, ce qui finit de le réconforter. Elle est radieuse, inquiète, mais rassurante, convaincue pour deux de l'issue favorable du procès, ce qui n'est pas le cas du principal intéressé. Sa fille n'est pas là, à sa propre demande, pour ne pas lui infliger cette épreuve du procès, et ce malgré les demandes de sa femme et de son avocate, cette dernière lui ayant pourtant expliqué l'importance pour son enfant d'être confrontée à la réalité, plutôt que de la subir de manière indirecte. Il balaie ensuite des yeux la salle, où il aperçoit des anciens coureurs cyclistes, certains étant des amis, d'où une sensation de climat serein, mais il y a aussi la presse, qui n'a pas été tendre avec lui. L'ambiance paraît alors mitigée, et même plus anxiogène quand il voit en face de lui Sophie Bazire, la procureure qui était en plus en charge de son dossier d'instruction et qui ne l'a pas ménagé, loin s'en faut.

Elle n'est pas très grande, plutôt fluette, un visage plutôt joli mais également fermé par son lot de certitudes et on devine une pugnacité qui n'a d'égal que sa volonté à faire triompher le droit, ce qui est bien le moins qu'on attend d'une magistrate. C'est aussi une surdouée de la magistrature, née en 1964, passant un Bac avec mention à 16 ans, titulaire d'un master de droit à 21 ans et finissant major de l'école de la magistrature à 24 ans, enchaînant dans la foulée par un poste de substitut du procureur à Marseille, où elle fait brillamment ses armes, passe ensuite dès 1990 par Lyon avant d'arriver comme procureure en 1996 à Evry. Elle est connue pour se référer aux éléments scientifiques et ne porte pas d'intérêt particulier pour les sportifs de haut niveau et n'apprécie pas spécialement leur notoriété. Enfin, on peut aisément lui prêter de l'ambition et ce procès ressemble alors fort à un tremplin pour une avancée avant la quarantaine vers un poste plus prestigieux dans la capitale.

Il défigure petit à petit les jurés, ainsi que les assesseurs, qui entourent le président du tribunal, avant que ce dernier ne prenne la parole. Il s'agit de Dominique Besnard, la petite cinquantaine, titulaire d'un Bac littéraire avec mention à 15 ans, d'un master de droit à 20 ans et diplômé de l'école de la magistrature 2 ans plus tard, avant de passer par différents postes allant de juge des affaires familiales à juge pour enfants, puis juge des tutelles entre 1970 et 1988 dans différents tribunaux de Province, devenant ensuite vice-président de la cour d'appel de Toulouse de 1991 à 1995 et depuis président de la cour d'assises d'Evry. Il ouvre la séance en précisant l'organisation des débats et en précisant le rôle des jurés et en présentant ses assesseurs, en la personne de Jean Aymard et de Michèle Teyssère. Victor prête à nouveau rapidement attention au jury de citoyens, composé de cinq femmes âgées de 25 à 62 ans, la majeure partie sans emploi et de quatre hommes âgés de 30 à 58 ans, l'essentiel étant dans un emploi manuel, sous dépendance hiérarchique, ce qui peut aller dans le sens d'une demande de respect de l'ordre établi, et même voulu dans une certaine mesure par la majorité de la société. Au nom de la société, Sophie Bazire invoque la défense de celle-ci pour infliger la sanction méritée à ce champion, qui s'en est pris à un ami proche. Elle commence par tailler en pièce la crédibilité de l'accusé, mettant en avant les nombreux privilèges dont il aurait pu bénéficier dans le monde du cyclisme professionnel. Elle va même jusqu'à déminer la situation liée au dopage, qui pourrait être évoquée par la défense, en insistant sur ce qui aurait pu profiter à l'accusé, allant même jusqu'à poser l'hypothèse que Victor a été dopé pour mettre en avant son palmarès. Son avocate réfute alors cette présentation, mais en profite pour annoncer que son client sera très favorable à expliquer en quoi il peut éclairer le tribunal sur le dopage dans le cyclisme, à défaut de l'ensemble du monde sportif, n'ayant jamais trempé dans aucun mécanisme de ce type, d'autant plus qu'il partageait cela avec la victime, médecin très engagé dans la lutte contre ce fléau. Après quelques échanges typiques des tribunaux entre procureure et avocate, il y a la présentation des faits, de preuves, en fait peu, d'éléments de suspicion nettement plus nombreux, il est ensuite question de mieux cerner qui est la victime, d'autant que cela permet aussi de se rendre compte du lien existant entre Brice Gallopin et l'accusé. Mais avant d'en arriver à cette partie du procès, Victor avait pu se rendre compte qu'il n'y avait pas que la procureure qui était contre lui, ce qui ne pouvait l'étonner, mais que le président et ses assesseurs ne lui étaient pas nécessairement favorables. Il se trouve que ces magistrats étaient plus sensibles aux prouesses littéraires qu'aux performances sportives, ce qui ne permettait pas à Victor de bénéficier d'une aura favorable, les éléments à charge étant pris très au sérieux. Au fil des débats, souvent peu favorables à l'accusé, notamment lorsque le président et Mme Teyssère prenaient la parole, mettant souvent en avance la protection de la société en évitant les dérapages. Il y avait heureusement quelques précisions émises par l'autre assesseur pour le rassurer, M. Aymard étant plus à cheval sur la réalité d'une preuve, plutôt que les indices ne permettant pas de se forger une opinion basée sur des faits avérés. Après les premiers temps plutôt négatifs pour l'accusé, on arrive enfin à la présentation de la victime.

Brice Gallopin est né le 6 juin 1945 à Paris, où il a grandi jusqu'à ses 15 ans, avant de suivre son père, ingénieur d'EDF, à Montpellier. Il a une enfance heureuse, dans une ambiance familiale sereine, sans manquer de rien, profitant même des œuvres sociales de la nouvelle entreprise nationalisée, où il y avait bon an mal an un début de brassage social, qui se continuait dans la pratique sportive intense : pratique du football, du judo et même de l'escrime. Ces différentes pratiques lui permirent de façonner un corps que beaucoup lui envieraient par la suite ; taille moyenne, mais stature corpulente, musclée, ce qui ne l'empêchait pas d'avoir développé une certaine souplesse et surtout beaucoup d'endurance. À 18 ans, auréolé d'un bac scientifique avec mention « très bien », il débute ses études de médecine, y croisant alors Jean-Paul Douai, un temps son mentor et connaissance commune de Victor Larcher, ce qui l'amena à finaliser son parcours à 29 ans par un diplôme de spécialiste en médecine du sport, se traduisant 7 ans plus tard, soit en 1981, par un travail à l'INSEP avec les cyclistes, alors très performants sur le plan mondial. Entre temps, il avait fondé une famille, son épouse travaillant pour une industrie pharmaceutique, et gravissant les échelons dans la sphère commerciale, sans avoir pu réaliser le souhait d'enfant, ce qui leur permettait par ailleurs de se jeter plus assidûment dans leur carrière professionnelle respective. Quand il intègre l'INSEP, c'est aussi parce qu'il a décroché le titre de physiologiste de l'effort, et c'est alors qu'il rencontre Victor Larcher. D'abord le côtoyant pour raisons professionnelles, les deux finissent par sympathiser, d'autant que c'est le moment où Victor se reconvertit en matière sportive, passant du rugby au cyclisme. Leur entente va de pair avec les progrès significatifs de Victor, pointés par Brice, qui note ses capacités hors du commun pour soutenir un effort prolongé. Ils échangent souvent sur les progrès à réaliser à la pointe de l'effort et des connaissances de l'époque en matière d'entraînement, de nutrition, et ce d'autant plus facilement que les prédispositions scientifiques de Victor sont réelles. Au fil du temps, les amis sont de plus en plus proches, et de fil en aiguille les couples également. Naturellement, Brice s'investit dans les organismes fédéraux de la lutte antidopage et de plus en plus dans le cyclisme professionnel, intégrant l'équipe de Laurent Fignon en 1984, qui restera l'année de tous les records pour ce champion d'exception. Il y restera jusqu'en 1987, où il rejoint une autre équipe très forte avant celle de Victor en 1992 qu'il ne quittera plus jamais. C'est aussi au moment où il côtoie Laurent Fignon et les meilleurs cyclistes du moment qu'il prend conscience de l'évolution sans frein du dopage, de son côté inéluctable du fait des enjeux financiers, sans pour autant vouloir s'y résoudre. Revenant à son parcours d'homme, le lien d'amitié avec la famille Larcher n'allant que croissant. C'est d'ailleurs Marine qu'il a choisie pour la réalisation de sa superbe demeure, et il ne cessait d'être élogieux sur le travail réalisé. Cette même maison, où se réunissaient régulièrement ses proches pour des moments festifs, dont certains immuables. Ainsi, pour chaque nouvelle année, se rejoignaient autour de Brice et de sa conjointe son mentor Jean-Paul Douai et son épouse, Victor accompagné de Marine et de Perrine, ainsi que les parents du couple Larcher, soit pas moins de 11 personnes. Et pour son anniversaire s'ajoutaient les amis restés fidèles depuis son enfance et les coureurs cyclistes de son équipe avec lesquels il se sentait le plus proche du point de vue des valeurs humaines. Ces mêmes valeurs humaines qui lui amenaient de plus en plus à douter de l'évolution du cyclisme, notamment vis-à-vis du dopage. Il s'en était parfois ému auprès de Victor Larcher et lui avait exposé la problématique de l'évolution du sport en général avec le prisme du cyclisme.

Il en ressortait un classement chronologique en plusieurs étapes : des débuts du XXème siècle jusqu'à la Seconde Guerre mondiale, on a la période des héros, des forçats de la route, puis la période de l'essor de la technique jusqu'au début des années 60, la phase suivante pouvant être considérée comme l'essor du dopage balbutiant, avant de finir avec la période actuelle depuis la deuxième partie des années 80, où le dopage est entré dans une ère « moderne ». Le cyclisme a toujours été une activité sportive des plus exigeantes, les vélos étant lourds, les routes difficiles et la préparation restant sommaire. Après la 2ème guerre mondiale, l'innovation technique a permis une amélioration des routes, mais aussi des vélos, et ce fut aussi le début du progrès dans la préparation physique et notamment la nutrition, sous l'impulsion par exemple d'un certain Louison Bobet. Pour autant, l'exigence en matière de performances avait été maintenue, ce qui continuait à rendre ce sport plus qu'ingrat, alors même que les gains n'étaient pas tant élevés que ça, contribuant également à lui donner un caractère populaire, en plus de l'accès facile pour le public sur le bord des routes. De l'amélioration de la préparation physique à l'ajout de produits visant à augmenter les performances, il n'y avait qu'un pas à franchir et c'est ce que certains ont fait, passant par les amphétamines, les corticoïdes, les mixtures telles le « pot belge », ce qui s'est traduit encore et toujours par une amélioration des performances, mais aussi des capacités de résistance et d'endurance de plus en plus demandées pour les sportifs, d'où le développement de la tricherie, parfois avec des issues fatales, comme Simpson dans l'ascension du mont Ventoux. On doit juste ajouter que les dopants de l'époque auront permis à l'essentiel des coureurs de supporter la difficulté de leur quotidien, mais sans inverser les valeurs intrinsèques ; les plus forts restaient ainsi les plus forts, ce qui plaisait de moins en moins aux investisseurs du milieu professionnel, ces acteurs en question supportant peu l'aléa, qui est pourtant le sel du sport. Et ce principe se retrouve dans la plupart des sports professionnels et pas seulement. Dans le vélo en particulier, l'ouverture du cyclisme au-delà de la sphère européenne aura permis d'élargir les sources d'investissement, et de fait plus d'acteurs liés à la finance, d'où le développement accru du dopage, en allant sur un terrain plus industriel, l'aléatoire n'étant plus permis.

Devant ces explications, le président interrompt le champion : « Pouvez-vous préciser les changements fondamentaux que vous tentez d'évoquer entre la troisième et la dernière période ? »

« Ces sportifs sont des stakhanovistes dans leur discipline, la nécessité de parcourir des kilomètres et de varier les fréquences de pédalage reste les conditions indispensables pour acquérir un niveau suffisant pour maintenir un niveau de compétition satisfaisant. Il s'agit de vrais champions, mais les difficultés qui leur sont proposées pourraient les amener à être usés plus tôt que prévu dans la saison, impliquant de ne pas disputer autant d'épreuves que prévu ou encore d'être défaillant au moment inopportun, ce qui n'est pas du goût des financeurs, d'autant plus si les montants nécessaires sont de plus en plus élevés. Ils ont eu alors recours à des amphétamines, qui permettent d'augmenter la masse musculaire, donc d'être plus performant, ou encore aux corticoïdes, limitant les douleurs liées à l'inflammation des tissus lors de l'entraînement, permettant ainsi une plus grande performance et plus d'endurance sur l'ensemble de la saison. Pour autant, chaque sportif se réfère à des capacités qui lui sont propres et qui sont très liées à sa morphologie : ainsi, un coureur assez grand et bien charpenté pourra développer des capacités de vitesse, d'accélération et de puissance, par exemple lors des épreuves contre la montre, mais sera limité pour hisser sa carcasse en haut des cols de montagne, alors que les plus légers seront favorisés dans ce type d'exercice, mais beaucoup moins dès lors qu'il faut développer une certaine puissance. Pour finir, les plus grands champions ont plutôt une stature moyenne, n'étant pas trop lourds, mais de taille moyenne et se reposant sur une musculature explosive, d'où un compromis sur l'ensemble des terrains proposés en course. Les produits dopants alors utilisés permettent de supporter la multiplication des efforts, sans changer les particularités physiques de chacun d'eux. »

« Donc ça, c'est pour la 3ème période, mais comment et pourquoi faire changer les choses par la suite ? »

« Quand on passe régulièrement entre les mailles du filet, celui-ci n'étant pas très serré du fait de la volonté de l'autorité sportive de référence, c'est-à-dire l'UCI (Union Cycliste Internationale), et que des docteurs sont prêts à réaliser des avancées en la matière, il n'y a qu'un pas à franchir et il a été franchi. L'idée dominante étant de favoriser la récupération musculaire et la performance aérobie, autrement dit la capacité à utiliser au maximum l'oxygène circulant dans le sang. L'Érythropoïétine, mieux connue sous le nom d'EPO, est un médicament très connu des cancérologues, mais a été utilisée pour l'augmentation du nombre de globules rouges, ce qui permet une meilleure oxygénation durant l'effort. Les transfusions sanguines, voire autotransfusions pour éviter les problèmes de rejet, sont aussi des outils allant dans le sens d'augmenter l'oxygénation pendant l'effort, mais aussi de favoriser la récupération après l'effort. Le must étant de gérer ces administrations médicamenteuses pendant les phases d'entraînement, donc à distance des épreuves et de la lutte antidopage, mais contribuant à augmenter la masse musculaire et les performances en plein effort. Ceci n'empêche pas le recours aux amphétamines plus récentes, aux corticoïdes et même aux bronchodilatateurs. Ce qui permet respectivement de compléter la prise de masse musculaire en diversifiant les méthodes et mieux passer à travers le filet "anti-dopage", de réaliser des séquences d'entraînements conséquentes, d'où les retombées positives en compétition, et enfin en améliorant l'oxygénation par une meilleure ventilation. C'est d'ailleurs plus que surprenant de faire le constat du nombre plus fort que dans la population standard d'asthmatiques, pouvant bénéficier de prescriptions ! Ces techniques de plus en plus sophistiquées sont aussi de mieux en mieux éprouvées, et au final c'est bien du gain de puissance musculaire et une meilleure récupération après des efforts intenses pour des coureurs ne pouvant prétendre initialement qu'à des succès en montagne, du fait du petit gabarit initialement. Ce sont aussi des coureurs puissants qui finissent par pouvoir encaisser des montées longues à un rythme élevé, dissuadant les grimpeurs de poche de pouvoir porter des accélérations suffisamment longues pour être efficaces. Je le sais d'autant plus que c'est ce que j'ai réussi à faire dans le milieu des années 80, mais par un effort très important sur le plan nutritionnel et par l'entraînement, passant de puncheur plutôt résistant à grimpeur à rythme élevé et résistant pour les épreuves en contre la montre. Non seulement, j'étais réfractaire par principe à toute manœuvre s'apparentant à une tricherie, mais ces techniques ne sont pas sans risque : il y a épaississement du sang, d'où des risques de thrombose, mais aussi l'annulation d'alerte en cas d'effort trop important ! »

« Alors, pourquoi y aller ? »

« Pour le gain obtenu, et nous avons à faire à un cercle vicieux. Les financeurs veulent bien mettre de plus en plus d'argent, mais à deux conditions : avoir un retour sur investissement en limitant l'aspect aléatoire de la compétition sportive et surtout en profitant d'une publicité la plus conséquente possible. Cela se traduit par des courses éprouvantes, courues à rythme élevé et avec des sportifs qui bataillent pour montrer le maillot. C'est d'autant plus faisable que les droits de retransmission, particulièrement télé, ont été inflationnistes, d'autant plus avec la mondialisation de ce sport, au début essentiellement, voire exclusivement européen. Ces montants de plus en plus hauts impliquent une certaine complicité de la plus grande partie des médias, intéressés directement par l'investissement réalisé, mais aussi de la plupart des coureurs, qui ont vu leurs rémunérations en nette augmentation au regard de ce qui se passait antérieurement. Et tout cela n'est possible qu'avec la complicité affichée plus ou moins de la part de l'UCI ».

« Et vous voulez nous faire croire que vous êtes un chevalier blanc dans ce monde avide de pouvoir et de gains sans aucune éthique ! » lance alors de manière assez véhémente la procureure Sophie Bazire.

« Oui, je l'affirme. J'ai toujours été opposé à cette façon de faire, l'effort de l'entraînement étant pour moi la seule façon d'y arriver et d'être fier de ses succès. Et Brice était sur la même longueur d'onde que moi, et même plus en pointe et en première ligne sur le sujet. »

Et Sophie Bazire d'insister : « Et on doit vous croire ! Avouez que cela vous arrangerait qu'on vous suive sur ce terrain, alors même qu'on a du mal à commencer à croire à un début de vraisemblance sur ce sujet. Comment imaginer une complaisance de la part de l'UCI, par exemple ? »

« Je n'ai pas parlé de complaisance, mais de complicité. Vous vous rappelez sûrement l'arrivée du tour de France 1989 ! Je vois que oui, mais que vous avez du mal à visualiser ce dont il a pu s'agir à l'époque. Je vais vous y aider. Laurent Fignon, qui avait déjà gagné deux fois le Tour de France, tout comme Greg Lemond, ce dernier se l'étant vu offert par Bernard Hinault en 1985, alors que Laurent Fignon avait été exceptionnel en 1984, avec 6 victoires dont tous les chronos, ce qui en faisait un expert. En 1989, l'arrivée sur les Champs

Élysées était un contre la montre et Laurent se présente avec 52 secondes d'avance au classement général devant Greg Lemond, ce qui implique normalement une évidence quant au vainqueur. Il se trouve que le français avait une blessure de la zone fessière, ce qui aura permis à plus d'un commentateur de justifier ce qui a fini par arriver. À l'arrivée, le retard occasionné à l'américain était d'une minute, soit 1 seconde au kilomètre et de fait c'est l'américain qui l'emportât pour le plus faible écart jamais constaté : 8 secondes. Quoi de choquant dans tout cela ? L'américain avait couru avec un guidon de triathlète, largement autorisé depuis, mais qui procure un réel avantage : le fait de pouvoir s'appuyer sur une partie prolongeant un guidon vers l'avant permet un meilleur aérodynamisme, une meilleure stabilisation de l'ensemble du corps, d'où un meilleur maintien lombaire et une plus grande efficacité de pédalage et enfin une plus grande libération de la cage thoracique, d'où une meilleure ventilation, ce qui demeure essentiel lors d'un effort violent et soutenu. Et à l'époque, le guidon en question était interdit ! Et pourtant Greg Lemond n'a pas été déclassé ! Pis encore, Laurent Fignon a été inscrit dans une chrono en Bretagne, non prévu initialement, l'emporta avec ce type de guidon, finit par être déclassé, ce qui permettait à son directeur sportif de l'époque de faire appel de la décision de ne pas déclasser Greg Lemond du Tour de France. Au final, rien de changé et la seule réponse évidente avec le recul, c'est que le Championnat du monde a lieu pour la première fois aux USA au mois d'octobre suivant. Aux USA, le cyclisme compte pour très peu, et quoi de mieux qu'un américain, vainqueur de la plus importante course de ce sport, pour assurer la promotion d'abord aux USA, puis dans le monde entier. Initié quelques années auparavant, le constat était là : pour favoriser la promotion et surtout l'expansion du cyclisme professionnel, ainsi que les enjeux financiers plus que conséquents, les instances internationales étaient alors prêtes à sacrifier l'éthique sportive, alors pour ce qui est des démarches liées au dopage ! »

« Tout ceci est fort intéressant, mais puisque vous sembliez être en phase avec la victime sur ce point, peut-être n'était-ce pas le cas par rapport à votre épouse ! Je vous rappelle que vous êtes très fortement soupçonné de l'avoir t... », cette phrase désagréable le fait ressortir de sa torpeur, d'autant qu'il a la visite de Clovis Mourdin, qui lui rappelle qu'il s'est assez reposé : « Après cette petite sieste de plus d'une heure, je vous rappelle que vous n'êtes pas à l'hôtel et que nous avons encore des choses à nous dire ! »

« Quelle heure est-il, s'il vous plaît ? »

« Il est un peu plus de 14 heures. »

« C'est pas un peu tôt d'après ce que m'a expliqué mon avocate ? »

« Si, vous avez encore un peu de temps pour finir votre sieste, encore qu'il serait sûrement profitable de garder votre esprit le plus vivace possible ! », puis le policier tourne les talons tout en sifflotant et en s'éloignant de cette partie du commissariat.

Victor se cale à nouveau et se laisse gagner à nouveau par la sensation de lourdeur et de besoin de repos, se replongeant alors dans son futur procès qu'il imagine avec la partie dédiée au déroulé des faits du 2 septembre, soit la veille de sa garde à vue.

« N'y avait-il pas une liaison entre votre ami et votre épouse ? » renchérit alors la procureure.

« Qu'est-ce qui vous permet de penser ça ? Bien sûr que non, mon couple se porte bien, et celui de Brice également ! »

« Cela n'empêche rien par ailleurs ! Il y a tout de même de quoi prêter à confusion. Vous ne pouvez pas nier la proximité entre votre femme et votre meilleur ami ! »

« Je ne la nierai jamais, puisque je l'ai même encouragé. J'ai… j'avais une telle admiration pour Brice que je ne pouvais que désirer une vraie complicité entre les deux adultes qui comptent le plus pour moi. Et c'est vrai que j'étais heureux que ces deux-là se soient tout de suite bien entendus. Je passais beaucoup de temps avec mon ami, également médecin de l'équipe, mais je passais aussi beaucoup de temps avec mes coéquipiers, en course, mais surtout à l'entraînement et je ne voyais pas mon épouse autant que j'aurais aimé. De même par rapport à ma fille. Du coup, j'étais rassuré et même heureux de savoir que Brice comptait pour mes "femmes". Le courant passait tellement bien que le fait que Marine finisse par gérer la construction de sa superbe maison était devenu une évidence, les rapprochant encore un peu plus, ce qui ne posait pas de problème à son épouse. La relation entre nous quatre peut surprendre, mais elle s'appuyait sur une base solide et surtout un respect de chacun. »

Il dévisage alors les expressions des jurés, les trouve alors plutôt fermés, un brin réprobateur et la suite des échanges autour de sa vie de couple ne semblent pas être mieux acceptés par la plupart des jurés, notamment de la majorité de femmes. Il semble que ce procès vire au fiasco, et il apparaît de plus en plus compliqué de se défendre correctement. C'est alors qu'il entend un bruit de serrure, rouvre les yeux et aperçoit Bruno Maupuis, le jeune policier admirateur du champion, et celui-ci lui demande de ramasser ses affaires et de le suivre.

Il est à peine 15 heures quand ils pénètrent dans la salle d'interrogatoire, où se trouvent déjà Clovis Mourdin & Sylvie, avocate et amie dont il a bien besoin, le rassurant dans un moment où il est presque absent, après sa torpeur mouvementée et une projection vers un procès qui ne lui apparaît pas très positif. Il est à ce point plus rassuré par la présence de la jeune femme, qu'il en oublie même la présence de la caméra, mais à peine assis, il est ramené à la dure réalité par le responsable de l'enquête :

« Je vous rappelle que vous êtes en garde à vue pour le meurtre de M. Brice Gallopin, qui a eu lieu hier, dans la soirée du mercredi 2 septembre entre 20 h 15 & 21 h 15, avant que l'autopsie ne nous apporte des précisions supplémentaires. Avez-vous quelque chose à nous déclarer, comme par exemple des aveux ? »

« Vous êtes sérieux ? » enclenche immédiatement l'avocate.

« J'espérais juste qu'on pourrait gagner un peu de temps ! »

« Nous gagnerons un temps précieux pour l'enquête et trouver la vérité sur ce qui est arrivé à l'ami de mon client dès lors que vous commencerez à orienter vos recherches au bon endroit. Que je sache, vous n'avez privilégié qu'une seule piste, d'où une vraie perte de temps, alors que M. Larcher n'y est pour rien. »

« C'est que nous avons des éléments plus que troublants et votre client semble être le mieux placé pour avoir réalisé ce forfait ! »

Excédé, perdant son sang-froid, Victor intervient : « Vous avez vraiment un pet au casque, mon… »

« Excusez l'emportement de mon client qui est fatigué et touché par cette tragédie au-delà de ce que vous pouvez imaginer », intervient alors très rapidement Sylvie.

« Ça passera pour cette fois, mais ce sera la dernière preuve de mansuétude de ma part. M. Larcher, vous avez bien compris ? »

« Oui, désolé, cela ne se reproduira pas ! »

« Concrètement, vous avez quoi pour incriminer mon client ? » surenchérit alors l'avocate.

« Nous y arrivons, mais avant, voulez-vous me redire ce que vous avez fait dans la journée de ce mercredi 2 septembre, depuis votre départ de chez vous jusqu'au retour ? »

« Je vous l'ai déjà expliqué ce matin ! Pourquoi recommencer ? »

« Parce que je vous le demande, tout bêtement ! »

Victor s'exécute et il ponctue son intervention par : « Je pense que ce doit être exactement ce que je vous ai raconté ce matin même, tout simplement parce que c'est plus qu'une version, mais la seule vérité que je connaisse ! »

L'interrogatoire reprend alors : « Vous affirmez toujours être arrivé vers 20 h 30 ? »

« Oui, je le confirme et même je précise à 20 h 30 exactement, étant habitué à être ponctuel et c'est l'horaire que nous avions convenu »

« Et vous maintenez n'avoir attendu qu'un quart d'heure avant de repartir ? »

« Je ne peux pas vous certifier que cela a duré pile 15 minutes, mais guère plus, puisque je suis bien arrivé chez moi vers 21 h 30 et je n'ai pas l'habitude de prendre des risques sur la route, du moins pas en voiture. À vélo, peut-être ! »

« On va éviter les traits d'humour, M. Larcher, mais alors, que penser d'un voisin de M. Gallopin qui déclare qu'une voiture, correspondant en tous points, marque, allure et même couleur, est bien arrivée vers 20 h 30 et repartie vers 21 h ? »

« Je n'en pense rien, si ce n'est que cela ne change rien à mon emploi du temps »

Et l'avocate d'ajouter : « C'est peut-être la voiture de mon client qui a été aperçue à son arrivée, d'autant que la visibilité est encore acceptable à cette heure-là, mais comment être certain que c'est la même voiture vers 21 h, la luminosité ne permettant pas une aussi bonne vision des objets ? »

« De plus, le plus proche voisin est à plus de 100 mètres de la maison de Brice, ce qui ne permet pas d'avoir autant de certitudes en la matière » surenchérit Victor.

« Dont acte, mais pourquoi ne pas le croire ? »

« Peut-être parce qu'il paraîtrait logique de se pencher sur une autre piste que la seule sur laquelle vous travaillez ! » insiste alors Sylvie Michalon, avant de repartir de plus belle : « Votre témoin vous a-t-il précisé être resté en observation continue pendant au moins une demi-heure ? »

« Non, nous n'avons pas cette précision. »

« Donc, nous n'avons aucune certitude que le témoin était à son poste d'observation lorsque mon client est reparti et pas plus qu'au moment où un autre véhicule est arrivé, ce qui pourrait alors expliquer deux véhicules assez ressemblants dans un créneau d'une demi-heure ! »

« Je n'y crois pas plus que cela, mais nous allons fouiller dans ce sens pour apporter plus de précisions dans ce dossier. »

Après un temps d'hésitation, Clovis revient à la charge : « Vous connaissez bien l'agencement des pièces de la maison de votre ami ? »

« Plutôt oui, ce n'est pas un secret que nous nous y voyions assez souvent, autant que chez moi et en plus c'est ma femme qui en a fait les plans. »

« A priori, il avait un PC et un ordinateur portable, c'est bien ça ? »

« Il me semble, au moins pour son portable, dont il ne se séparait que très peu. »

« Où devrait-on le trouver dans sa maison ? »

« A priori, dans son bureau, sur le bureau, à côté du clavier de son PC, ou dans la sacoche dédiée à cet effet. »

« Vous saviez ce qu'il avait comme ordi portable ? »

« Pas précisément, même si je sais qu'il s'agissait d'un grand écran et plutôt puissant, parce qu'il voulait du matos qui carbure. Mais pourquoi des questions sur ses ordinateurs ? »

Après une petite hésitation, les enquêteurs n'aimant pas dévoiler tout du dossier : « Il se trouve qu'on a retrouvé aucun ordinateur portable et que le disque dur de son PC a disparu. Cela vous évoque quoi ? »

« Rien du tout ! » assène alors Victor, tout en essayant de feindre la surprise, mais aussi en réfléchissant à certains propos tenus avec son ami dans les jours précédant cette phase délicate qu'est la garde à vue.

« Le fait qu'il y a vos empreintes un peu partout dans la maison de Brice Gallopin ne doit pas nous surprendre d'après vous ? »

« Je vous ai déjà dit que nous allons souvent l'un chez l'autre. Nous sommes, nous... étions des amis. Et je n'ai pas pour habitude de garder mes gants avec mes amis, sauf peut-être les gants de vélos, qui laissent pour autant les bouts de doigts à l'air libre ! »

« M. Larcher, je vous ai déjà dit ce que je pensais de l'humour mal placé ! Redevenons sérieux un moment ; vos empreintes sont présentes dans son bureau, dans son garage ! »

« Ne gardant pas mes mains dans les poches en présence d'un ami, d'autant que je suis plutôt un tactile, il est vraisemblable que j'ai posé mes paluches dans les endroits où je l'ai accompagné. Ceci implique le garage, puisque nous faisons de temps à autre des sorties à vélo et que nous déposons nos vélos dans son garage si la sortie est initiée à partir de chez lui. Pour le bureau, il m'est arrivé de l'accompagner dans cette pièce, poursuivant une discussion commencée ailleurs. Et même récemment, nous y avons discuté sur des sujets sérieux inhérents à l'organisation de l'équipe. Rien de surprenant à ce que mes empreintes s'y trouvent. »

« Et de même pour celles de votre femme ? »

« Dans le bureau, je ne sais pas, ça reste possible, puisqu'elle est architecte. Pour le garage, cela serait plus surprenant, puisqu'elle n'aime pas bien le vélo et qu'elle n'est pas de nos sorties, contrairement à l'épouse de Brice. Comment va-t-elle d'ailleurs ? »

« Là n'est pas la question, M. Larcher »

« Oui, mais c'est normal que je m'en inquiète, c'est aussi une amie et elle doit être dévastée ! »

Sylvie intervient alors : « Elle est rentrée précipitamment de Lyon, et elle a été amenée à l'Institut Médico-Légal. Ce soir, elle sera en compagnie de ta femme et ça lui fera du bien ». Ses mots calment Victor, d'autant qu'il comprend que Sylvie sera à leurs côtés, s'attendant à rester en garde à vue de son côté.

« En effet, il n'y a pas d'empreintes appartenant à votre épouse dans le garage, mais par contre dans la chambre du défunt ! Cela vous évoque quoi, M. Larcher ? »

« Rien de particulier, faudrait le lui demander à elle ! De plus, c'est aussi la chambre de son épouse, ce qui peut aussi être une piste ! »

« Soit, mais que dire du texto trouvé sur le téléphone portable de M. Gallopin ? »

« Vous me parlez de quel texto ? »

« D'un texto du 2 septembre à 20 h 50 et dont le message nous paraît ambigu, le texte étant – mari soupçonneux, très agité, besoin parler –. »

« Je ne sais et ne comprends rien à ce charabia, faudrait peut-être demander à mon épouse ! »

Et l'avocate d'insister : « Ce texto a-t-il été envoyé, est-il arrivé à destination ? Sinon, on est dans l'élucubration et le montage de dossier toujours très léger ! C'est tout ce que vous avez ? »

« Soit, maître ! C'est tout pour le moment ! »

« Cela veut dire que vous relâchez mon client ? »

« Non, pas du tout, nous allons laisser décanter tout ceci et nous revoir dès demain matin, après une bonne nuit de sommeil, vous ici et chacun de nous autres chez soi. Il est 15 h 45, interruption de l'interrogatoire dans le cadre de la garde à vue. »

Victor est alors raccompagné en cellule, échange quelques mots avec son avocate, qui lui confirme qu'elle sera ce soir avec son épouse et celle de Brice, ainsi qu'avec sa fille.

Chapitre 3
Retour sur son passé

Le temps finit d'amener un peu d'apaisement, Victor se laissant aller à une forme de méditation, lui permettant de se mettre en quelque sorte à distance des deux locataires, des cellules voisines, qui sont arrivés entre le milieu d'après-midi et le début de soirée. Après un repas frugal, bienvenu par principe, mais sans une réelle envie, la méditation fait place à la divagation, se replongeant alors en enfance.

On est loin de ce 28 juin 1960 où il vit le jour à Poitiers et de Chasseneuil-du-Poitou, la ville juste en dessous de l'actuel parc du Futuroscope, où il a vécu sa petite enfance. Il y était alors entouré de son père, Gustave, et de sa mère, Mireille, sans autre enfant. Gustave Larcher était né le 12 mars 1937 à Lyon, ses parents étant instituteurs, mais aussi résistants dans cette ville ô combien essentielle pendant la Seconde Guerre mondiale. Sa famille était tout de même sortie indemne de cette période trouble, puis avait changé de lieu d'exercice en allant à Limoges, où Gustave grandit comme tout enfant des années 50 a pu le faire alors. Mireille, née Meyer, était née le 15 mai 1938 à Grenoble, le père étant maraîcher et la mère ouvrière dans le textile, tous deux aussi ayant participé à la résistance devant l'occupation allemande et en désaccord profond avec la collaboration. Le tribut fut plus élevé, puisque son père a été arrêté six mois avant la libération de Grenoble, avant d'être torturé et exécuté en juin 1944 et sa mère suivant le même chemin de l'arrestation, seulement 2 jours avant la libération de la capitale du Dauphiné, transférée à Lyon et heureusement libérée en septembre 1944, pouvant alors récupérer sa fille, laissée à l'époque à la campagne chez des cousins. À la sortie de la guerre, la maman de Mireille se recycle dans la soie, avant d'aller vers les arts de la table, notamment dans l'industrie de la porcelaine, d'où le déménagement à Limoges lorsque Mireille avait 13 ans. C'est en grandissant avec sa mère et en faisant face aux difficultés de l'époque qu'elle se forgea une combativité et une grandeur d'âme, faisant d'elle une belle personne. C'est cette belle personne qui rencontra à l'été 1959 un certain Gustave : ils avaient respectivement vingt-et-un et vingt-deux ans, elle commençant à gagner sa vie et voulant se divertir chaque week-end, lui en permission, puisqu'il avait commencé son service militaire quelques mois avant. Victor aime s'imaginer le temps de leur rencontre : sa mère, alors titulaire d'un diplôme de secrétaire trilingue, capable d'aider le ménage que forme sa mère avec un nouveau compagnon et devant satisfaire au code vestimentaire de l'époque, avec talons aiguille, bas dessinant le galbe des mollets sous une jupe longue finissant au-dessous des genoux, la taille étant très marquée et le port d'un bibi, alors que son père n'avait aucun effort particulier à faire, puisque la tenue de militaire, à condition d'être bien repassée, faisait nécessairement son effet. Ils allaient de bals du week-end en bals d'un autre week-end, jusqu'à ce samedi du milieu de l'été où ils se sont retrouvés sur les bords de la Vienne, en contrebas du jardin botanique de l'Évêché et de l'hôtel de ville. Ils se sont aperçus, se sont mutuellement impressionnés, Gustave s'est alors éloigné très vite de ses copains militaires pour inviter Mireille, qui n'a pu refuser et même n'a rien dit, même pas bredouillé quelque parole et s'est laissé guider vers la zone où se trémoussaient les couples sur le rythme de la musique de l'époque. Victor se délecte à imaginer ce qui lui a toujours été raconté : ses futurs parents ont dansé pendant des heures, au départ sans se parler, puis ont échangé quelques mots, avant de s'éclipser plus au calme pour mieux discuter et commencer à flirter. Le week-end suivant, ils se retrouvaient pour danser autant que pour s'embrasser, s'enlacer, se bécoter et petit à petit, quoique trois week-ends auront suffi, aller tellement loin que leur couple leur est apparu comme une évidence. Au point, et vu les moyens inexistants ou presque de la contraception, que Victor fut conçu fin septembre. Les amoureux n'avaient pas tardé à se faire connaître auprès de leurs familles respectives, ce qui facilita l'annonce officielle de la grossesse pour le Noël 59, d'autant plus qu'ils se marièrent en octobre, après s'être fiancés à la fin août. Cela aura permis à Gustave de demander l'interruption de son service militaire pour soutien de famille, ce qui fut accordé en mars 1960. Il aura alors fait moins d'une année d'armée, évitant même de partir pour l'Algérie. Et c'est un mardi, plus précisément le 28 juin que naissait alors Victor, soit deux cent quarante-huit ans après Jean-Jacques Rousseau, le philosophe, soixante-dix-sept ans après Pierre Laval, n° 1 des collabos, vingt-six ans après Wolinski, le dessinateur au destin tragique le mercredi 7 janvier 2015 au sein de l'équipe de « Charlie Hebdo », ou encore treize ans après Annie Duperey, actrice très aimée des Français, mais aussi huit années avant le chanteur Cali et onze années avant Fabien Barthez, le gardien de but de l'équipe championne du monde en 1998. Son statut de fils unique a fait de lui un enfant chéri, mais pas un enfant-roi, d'une part parce que ce n'était pas l'habitude à l'époque et le passé de sa mère avec les épisodes de la guerre impliquaient une plus grande maturité, malgré la venue rapide de cet enfant. Et puis, il n'y avait pas de raison pour que la survenue de cet enfant interfère trop avec le bonheur du couple formé par Gustave et Mireille.

L'industrie présente dans la région de Poitiers avait amené le couple à déménager dans la banlieue de Poitiers, madame trouvant un poste de secrétaire de direction dans la même entreprise que celle où son mari devenait rapidement contremaître, du fait de sa faculté d'adaptation importante et d'une expérience reconnue par son patron. Il devient ensuite ingénieur, en ayant recours aussi aux cours du soir, et décroche un poste très prometteur en 1968 dans la filière du pneumatique à Michelin, l'entreprise accordant rapidement un poste de responsabilité au département de la direction financière à son épouse. Après une petite enfance dans le poitevin, Victor devait alors commencer son CE1 dans la commune de Lempdes, à l'est de Clermont-Ferrand. C'est aussi là qu'il se lia avec un groupe d'enfants qui seront pour certains restés ses amis par la suite. Il y avait Julien Beaufort, Jacques Desmertine, l'indéfectible Florian Bargaut, et enfin Gisèle Dubutran, avec laquelle il entretiendra une relation de proximité et sans jamais aucune ambiguïté. De 1968 à juin 1972, le passage par l'école communale reste un ensemble de souvenirs plus joyeux les uns que les autres, les résultats scolaires étant bons, mais c'est surtout la joie de vivre qui l'emporte, ce qui correspond aussi à ce temps si particulier de l'insouciance lié à l'enfance. C'est aussi à cette époque qu'il se met à pratiquer le rugby, notamment avec son compère Florian, montrant des aptitudes spécifiques plus qu'intéressantes ; à savoir une réelle capacité d'endurance, voire de résistance, une bonne vitesse de déplacement et d'exécution, ainsi qu'un vrai sens du jeu collectif.

Le bruit de l'ouverture de serrures et l'arrivée de 2 compagnons d'infortune dans les locaux le sortent brutalement de ses pensées. Il faut plusieurs minutes pour que le calme revienne ou du moins pour qu'il y ait moins de bruit, les discussions entre ses colocataires ne l'intéressant pas du tout. L'envie de revenir à des pensées plus positives, plus heureuses, lui permet de revenir dans son passé.

Il pense ainsi à sa mère, Mireille, qui a toujours été tendre avec lui, plus proche que ne l'était son père dans le quotidien, ce dernier lui apportant par ailleurs la transmission de la rigueur nécessaire dans le travail, mais aussi les valeurs positives portées par la pratique du sport. Il revient vers le visage de sa mère, puis se rappelle qu'elle aussi a réalisé des efforts particuliers, en passant par la formation continue, ce qui aboutit à un diplôme de traductrice-interprète en anglais et allemand courant 1972. C'est cette même année qu'il découvre le collège à Cournon-d'Auvergne qu'il quittera en juin 1976, avec un BEPC en poche et de très bons résultats lui octroyant l'accès en seconde C. Mais ce temps du collège, entouré de ses quatre compères connus à l'école primaire, est l'occasion de se faire de nouvelles relations, celles-ci ne tenant pas dans la durée. C'est aussi ce temps particulier de la préadolescence et de l'adolescence, où il connaîtra ses premiers émois amoureux, notamment en 5ème, où il sera émoustillé par Jessica, collègue de classe, avant de commencer à flirter avec Muriel de la 5ème à la 4ème, sa relation la plus aboutie se faisant avec Nathalie durant la 3ème. Il était prêt alors pour l'étape suivante, c'est-à-dire le lycée à Clermont-Ferrand, en seconde C où il avait fait le choix de l'option de l'apprentissage du russe. Pendant ce temps, Gustave progresse au sein de l'entreprise « Michelin », puisqu'il accède au comité de direction, en lien avec les process de fabrication, croisant ainsi plus souvent son épouse dans le quotidien professionnel. Pour Victor, il y avait la possibilité de revoir ses copains le week-end, étant séparés d'eux au lycée, l'option « russe » l'ayant amené au chef-lieu du département, Florian le retrouvant pour la pratique du rugby à Clermont-Ferrand. C'est dans cette période du lycée, soit entre 1976 et 1979 qu'il fera son éducation sentimentale, papillonnant plus que s'attachant, mais il était persuadé que ce temps lui serait bénéfique pour la suite et il lui fallait être encore plus sérieux dans les études. Ainsi, il passa sans encombre en 1ère D, puis en terminale et obtint en juin 1979 un Bac D avec mention « Bien », ce qui le ravit autant que ses parents. Sur le plan sportif, il avait pu intégrer l'équipe de Montferrand, ce qui était l'occasion pour lui de découvrir le sport de haut niveau, y compris en cadet, puis en junior, avant que ne se profile le parcours universitaire. C'est aussi en 1979 que son père, Gustave, était nommé dans un poste de haute responsabilité dans la région parisienne, ce qui aurait pu être anodin, mais qui finissait par coller aux besoins des uns et des autres. Mireille n'avait pas envie de rester loin de son mari et aura postulé pour un poste de traductrice-interprète dans un ministère. Elle finit par obtenir un poste au sein du ministère en lien avec les affaires européennes, ce qui pouvait l'amener à croiser des personnes qu'elle a toujours admirées, telle Simone VEIL quand cette dernière sera présidente du parlement européen. Le couple partant pour la région parisienne, quid de Victor ? Il se trouve que son niveau de rugby lui permettait d'envisager d'être intégré à l'INSEP, d'où le choix qui s'est imposé de faire son parcours universitaire à Paris. Ainsi, la petite famille se retrouve à Paris, plus précisément dans l'Est parisien, pour être proche autant de l'INSEP et de la faculté pour Victor, celui-ci étant inscrit en DEUG de biologie médicale. Son passage à l'INSEP est intimement lié à la rencontre d'un personnage qui comptera énormément pour le jeune sportif en herbe. En 1976, il intègre l'équipe de Montferrand en cadet et le médecin qui le suivra, au même titre que les autres jeunes, s'appelle Jean-Paul Douai. Il a alors trente-quatre ans, est spécialisé en médecine du sport depuis cinq années et il a choisi de suivre les rugbymen par atavisme familial, du côté de sa famille paternelle et par attachement à la région, alors même qu'il est un fou de cyclisme, le pratiquant à ses heures perdues. Ce médecin est plutôt bonhomme, un brin paternaliste, offrant par sa présence régulière dans la semaine auprès de Victor une forme de substitution à l'image paternelle et il est en plus très apprécié par Gustave. Il est indéniable qu'un lien très étroit s'est noué entre Jean-Paul et Victor, ce retour en arrière dans son passé lui amenant un réel sentiment de bien-être, même lorsqu'il se remémore les sermons du médecin sur son papillonnage envers la gent féminine, doublé d'un avertissement sur les mesures de protection à mettre en œuvre lors des relations amoureuses. C'est aussi et surtout ce médecin qui, au regard de son niveau rugbystique, lui vanta les mérites de l'INSEP pour son avenir, rencontrant également un très bon écho au niveau des parents de Victor. Il se rappelle que son père a toujours été un soutien inébranlable quant à ses choix sportifs, qu'il s'agisse du rugby, mais aussi plus tard pour le vélo. Il se remémore également que Jean-Paul l'avait avisé de la présence à l'INSEP d'un médecin plus que prometteur, très brillant qu'il pourrait être amené à croiser, ce qui serait une chance pour lui, ce médecin étant particulièrement en pointe quant à la physiologie de l'effort. Il ne s'agissait ni plus ni moins que de Brice Gallopin. C'est aussi cet ensemble de facteurs qui conduisent Victor à s'orienter vers la biologie médicale, d'autant que son niveau scolaire en biologie et en physique-chimie était plus que prometteur.

Les hurlements brutaux d'un nouvel arrivant dans l'hôtel de fortune, qui lui était imposé, le sortent plus que rapidement de sa torpeur et de ses réflexions. Il y a fort à parier que ce nouvel occupant d'une cellule va occuper celle dédiée au dégrisement, comme s'il y en avait une de particulière, au regard d'un état d'ébriété avancé. Il se rend compte alors qu'on doit être plus avancé dans la soirée, et même dans la nuit. Il faut quelques minutes pour que le calme revienne et que le sommeil finisse par le gagner, ce qui n'empêche pas l'esprit de divaguer et de revenir sur le passé.

Il est donc à Paris, puis à la faculté par moments, à l'INSEP à d'autres moments et joue dans un club parisien de rugby le week-end. Malgré l'emploi du temps compliqué, il avance tant bien que mal au niveau des études, et même de mieux en mieux, décrochant son DEUG sans souci en juin 1981, alors même qu'il avait pu voter pour la première fois aux élections présidentielles, son choix allant très nettement pour François Mitterrand, parce qu'opposé à la peine de mort. Il rencontre une étudiante, prénommée Justine, avec laquelle il va se stabiliser sur le plan amoureux pendant plus d'une année et sur le plan sportif il est de plus en plus performant, développant encore des capacités pouvant apparaître comme hors-norme. C'est en raison de cette évolution qu'il finit par rencontrer Brice Gallopin en avril 1981, celui-ci développant des méthodes d'entraînement prenant en compte les données les plus récentes autour de la physiologie de l'effort, tout en tenant à lutter très efficacement contre le dopage. Entre le jeune sportif et le médecin confirmé, tous deux surdoués dans leurs parties respectives, la rencontre est une évidence. D'un côté un jeune de vingt-et-un ans, athlétique comme on peut s'y attendre avec un champion en devenir, soit 1 mètre 85 pour 78 kilos, dégageant à la fois force, et même puissance, élégance et détermination, ce qui correspond en tous points à ce qu'on attend d'un 3/4 centre. De l'autre côté, un homme trentenaire, né juste un an après le débarquement allié en Normandie, également élégant, plutôt harmonieux sur le plan de la stature, un brun charmeur mais surtout qui attire tout de suite la sympathie. C'est à l'occasion de la célébration de son diplôme de spécialiste en physiologie de l'effort qu'une soirée est organisée. Il faut se rendre compte de l'aspect impressionnant du parcours de cet homme, né à Paris, ayant grandi à Montpellier depuis ses quinze ans, ce qui lui laissa la possibilité de se lancer en médecine à dix-huit ans, avec une spécialisation en médecine du sport en 1974, soit à vingt-neuf ans, alors que Jean-Paul Douai pouvait apparaître comme son mentor, mais l'élève aura vite dépassé le maître avec ce certificat spécialisé dans un secteur de pointe à trente-six ans à peine. Évidemment, Jean-Paul Douai est présent, ce qui ravit alors Victor. Tous évoquent alors l'année suivante, l'avenir du sport, notamment en lien avec le dopage, contre lequel Brice est très investi, mais aussi l'avenir du jeune sportif, Brice lui glissant qu'il pourrait peut-être développer des performances spécifiques à vélo, l'aidant à mieux se préparer pour la nécessité de son sport, ce qui plaît alors à Victor, alors plus que satisfait de pouvoir collaborer avec ce médecin, qu'il juge plus qu'intéressant et avec qui le courant passe si bien. L'année suivante est celle de la licence, obtenue haut la main en juin 1982, avant de devoir faire son service militaire au sein du bataillon de Joinville, ce qui lui permet de continuer à s'entraîner, et de plus non loin de chez lui, avec des contacts persistants avec l'INSEP, et de fait avec Brice Gallopin, avec lequel la relation est de plus en plus étroite et la collaboration fructueuse. C'est d'ailleurs pendant les deux années de licence et du bataillon de Joinville qu'il pratique de plus en plus le cyclisme, ce sport ayant été jusque-là, et notamment pendant l'enfance, un moment de plaisir et de pratique d'une activité physique complémentaire. Pour autant, les efforts soutenus sur les pentes des volcans d'Auvergne ne lui avaient pas posé trop de problèmes à l'époque. Son année au bataillon de Joinville aura été enrichissante du fait d'autres sportifs rencontrés. Il n'y avait pas moins de trois internationaux en rugby avec Eric Champ, 3ème ligne et tellement déterminé déjà, Eric Bonneval, virtuose à l'aile et surtout Philippe Sella, ¾ centre comme lui, mais qui fut un temps le meilleur à son poste sur le plan mondial. Autant dire qu'on progresse nécessairement au contact de tels champions. Et que dire de sa rencontre, lors des phases de travail avec Brice pour la physiologie à l'effort, de Laurent Fignon, avant même que ce dernier ne gagne son 1er tour de France et qu'il écrase de sa classe pour son second en 1984 la grande boucle, avec pas moins de 5 victoires, avec 2 contre-la-montre, dont un en montée et 3 victoires en ligne et en montagne. Il y a eu aussi une connivence essentielle avec ce champion, lui aussi ayant réalisé des études émérites, ce qui n'était pas monnaie courante encore à l'époque. Est-ce grâce à cette rencontre, est-ce dû aussi à une envie moins grande de jouer au rugby, peut-être également en lien avec une possible évolution négative du rugby qu'il percevait, mais c'est pendant cette période du bataillon de Joinville qu'il s'orienta plus vers le sport cycliste. Alors qu'il s'entraînait de plus en plus sur le vélo, en soufflerie comme sur la piste ou sur les routes, la décision fut prise fin 1983, début 1984. Il faut préciser qu'à ce moment-là, il avait fini son passage par le bataillon de Joinville, devait trouver un travail, et c'est Brice qui mit son poids dans la balance au niveau de l'INSEP, puisque Victor, muni de sa licence de biologie médicale obtenue haut la main, devenait un assistant du médecin dans son travail auprès des sportifs, dont beaucoup de cyclistes. Alors que cela faisait quelques mois qu'il travaillait à l'INSEP, c'est en février 1984 qu'il fit son annonce officielle de rallier une équipe professionnelle de vélo, ayant bien évidemment prévenu l'INSEP plusieurs semaines auparavant. Chose d'ailleurs étrange, puisque Brice Gallopin quittait la structure nationale dédiée au sport en tant que salarié pour devenir médecin attitré de l'équipe où courait Laurent FIGNON, tout en gardant la possibilité de recourir aux infrastructures à travers un accord de partenariat pour faire avancer le domaine de la physiologie à l'effort dans le sport tout en se préservant du fléau qu'est le dopage. Il entrait là définitivement dans une vie professionnelle de sportif, à laquelle il n'avait pas encore songé. Il n'aura eu que peu de temps pour se poser des questions, puisque les résultats étaient vite probants, avec une 5ème place dès sa première participation à Paris-Roubaix, mais aussi une 3ème place dans Liège-Bastogne-Liège et surtout une 2ème place, échouant de très peu au sprint, dans la flèche wallonne. Le cyclisme français pouvait alors compter sur un nouveau champion, particulièrement dédié aux courses classiques, ce qui se vérifierait dans les années suivantes. De plus, il était capable de rafler une étape du Giro, et ce en baroudeur et en tenant en respect le peloton pendant plus de trente kilomètres.

Il ne peut s'empêcher alors de penser à la personne qui lui apportait la stabilité nécessaire pour gérer ce chamboulement de vie, autrement dit son épouse. Qui est cette femme sur laquelle il a pu toujours s'appuyer ? Marine est née le 20 septembre 1961 à Deauville, ayant grandi dans la famille Bériot, sans encombre particulière. Il se rappelle que la famille de sa femme a eu aussi un lien étroit avec la Seconde Guerre mondiale, impliquée en partie dans la résistance et ayant été aux premières loges lors du débarquement allié au printemps 1945. Marine était une excellente élève, alors même qu'ils ne se connaissaient pas encore, détentrice d'un bac E, la voie royale pour les ingénieurs, à même pas dix-sept ans, enchaînant par un diplôme d'architecte à vingt-deux, soit en 1983, alors que Victor était en train de finir le bataillon de Joinville. C'est pourtant en 1980 qu'ils se croisèrent, plus précisément leurs regards, mais sans que cela n'aille plus loin. Lui, passant au niveau des terrains de sport extérieurs et elle à cheval pour une promenade, étant elle-même sportive de haut niveau en saut d'obstacles. Ils se croisèrent de temps à autre, avec une impression de plus en plus bizarre pour lui, mélangeant une impression de distance entre eux, doublée d'une allure tellement superbe, liée en grande partie à la tenue de la cavalière et d'envie d'aller à sa rencontre, tant ses yeux superbes semblaient lui lancer une invitation, mais il n'est plus ce jeune adolescent, qui papillonnait d'un jupon à l'autre, encore que là, il s'agissait d'une culotte, de bottes, d'un casque et d'une cravache ! C'est lors d'une soirée organisée à l'INSEP qu'ils se rencontrèrent réellement, et ce dans un contexte totalement différent, alors qu'ils n'étaient pas habitués à ce genre d'évènement. Elle se devait d'y être pour marquer des points pour la suite à donner à ses études d'architecte et lui y était parce que Brice avait insisté pour qu'il se rode à ces soirées, où il peut être question d'aborder les personnes qui comptent pour certaines décisions à obtenir. Il était sur son 31, aurait fait la fierté de ses parents, faisait celles de Jean-Paul et Brice qui étaient là. Elle était super-élégante, sa robe d'été permettait d'imaginer une silhouette fine, des jambes effilées et tellement bien dessinées, mais aussi des formes qui interpellaient autant la gent masculine que féminine et que penser de ses yeux bleus, toujours aussi étincelants, appuyant un visage doux et charmant et le tout magnifié par une chevelure blonde et ondulante, tombant avec grâce sur ses épaules. Si tout le monde ou presque ne voyait qu'elle en ce mois de septembre 1981, elle fuyait très vite les regards qu'elle croisait, sauf celui du jeune homme qui ne l'avait pas lâché du sien dès qu'il l'avait reconnue. Victor et Marine sont restés là pendant quelques secondes à quelques mètres l'un de l'autre, mettant même un certain malaise pour les invités présents autour d'eux, puis ils avancèrent mutuellement, jusqu'à se retrouver l'un en face de l'autre. C'est lui qui brisa le silence en lui faisant remarquer qu'elle était déjà superbe en tenue de cavalière, mais qu'elle mettait la marche très élevée avec sa tenue de soirée. Cela aurait pu sembler un peu trop banal, mais elle pouvait tout entendre de lui. Elle aussi l'avait remarqué et avait pu apprécier son allure, sa musculature en tenue de rugbyman, et pouvait être sensible à son charme. Mais là, il était de plus élégant et elle était plus que sensible à sa voix, assurée, claire et suffisamment grave pour se sentir en sécurité. Elle lui fit un compliment, ce qui permit à Victor d'être lui aussi fou de sa voix, toute en finesse, bien posée et incitant à se confier. À partir de là, ils étaient inséparables, d'autant que chacun était libre de tout engagement sentimental. Victor en était alors persuadé : Justine avait été son avant-dernière histoire d'amour, la suivante étant alors la dernière et la bonne, et c'était avec Marine. Cette relation allait grandissante, sans jamais interférer dans le cursus universitaire des deux tourtereaux. Marine aura pu compter sur Victor pour la dernière étape de ses études d'architecte. Les deux finirent par emménager dans un petit appartement proche de l'INSEP à l'automne 1983. Et ce fut au tour de Marine de le soutenir lors de sa transition de rugbyman à cycliste, alors même qu'elle commençait à s'investir dans sa vie professionnelle d'architecte. Assez vite, ils parlèrent de mariage, mais sans vouloir se précipiter, de manière à ce que chacun ait pu prendre le bon départ dans sa vie professionnelle. Après le mariage viendrait le temps d'avoir un ou des enfants.

La fin de la nuit arrive avec un peu de café et quelques biscuits apportés par le policier, alors de permanence, et pourtant il était tôt ce 4 septembre 1998. Le fait de se trouver en cellule, d'avoir plutôt mal dormi, le ramène à sa situation désastreuse d'avoir été mis en examen pour le meurtre de son meilleur ami.

Luttant plus ou moins contre le sommeil, il finit par plonger à nouveau dans une torpeur vers 8 h 45.

Chapitre 4
D'un palmarès hors-norme à la prison

Il aime alors se replonger dans les souvenirs relatifs à son mariage et à sa préparation. Le couple était tellement heureux depuis leur rencontre de septembre 1981 et de plus en plus au fil du temps, d'où la décision évidente de vivre ensemble, même s'il aura fallu attendre septembre 1983. Le petit appartement du 3ème étage de la rue de Verdun à Champigny-sur-Marne était coquet, fonctionnel, un peu vieillot, mais dans leur budget. En effet, elle venait de commencer un assistanat dans un cabinet d'architecte de la capitale, ce qui lui permettait de gagner de l'ordre de 8500 francs par mois, alors que le travail d'assistant trouvé à l'INSEP permettait à Victor d'appointer à 5200, soit 140 % du SMIC de l'époque. Avec presque 14 000 francs mensuels, ils pouvaient vivre décemment et payer leur loyer s'élevant à 950 francs plus 300 de charge, d'autant que l'INSEP était proche, à moins de 3 kilomètres et surtout entre 10 à 15 minutes par les transports en commun, le cabinet de Marine étant dans le 11ème arrondissement, au 2 boulevard de la Bastille, soit à peine à 30 minutes par le bus et/ou le métro. De fait, ils pouvaient mettre de l'argent de côté pour leur avenir et notamment leur mariage, même s'ils savaient que les parents respectifs pouvaient les aider, au besoin. Après quelques mois à ce rythme, il s'est agi de passer à la phase correspondant à l'activité professionnelle de coureur cycliste pour Victor, ce qui ne changeait pas grand-chose pour lui, si ce n'est lorsqu'il montait sur le podium de deux classiques, avec la perception de primes mettant du beurre dans les épinards. C'est plus sur le plan psychologique qu'il fallait tenir, avec d'abord des doubles journées entre le travail à l'INSEP et les heures d'entraînement, avant le saut dans l'inconnu et le lancement dans cette carrière sportive professionnelle ; c'est là qu'il a pu compter sur un soutien sans faille de Marine, elle-même confrontée à des journées à rallonge, devant montrer son savoir-faire à ses patrons. Il n'était pas rare qu'elle ramène des plans à peaufiner à la maison. Ce fut plus simple dès lors que la réussite sportive était au rendez-vous, démontrant que le choix avait été judicieux, d'autant que son équipe ne faisait pas de souci quant à une augmentation approchant le double de la rémunération initiale. Il faut aussi bien se rendre compte que les résultats étaient là, avec notamment une année 1985 encore plus prolifique côté résultats et que dire de 1986, où les victoires n'ont pas manqué, allant même jusqu'à être champion du monde. En revenant à 1985, il se remémore que le mariage avait été fixé au samedi 8 juin, soit après le Giro et le Dauphiné Libéré, mais avant le Tour de Suisse. La date avait été choisie en fin d'année 1984, de manière à pouvoir planifier toute la préparation en fonction des échéances sportives connues et pour pouvoir prévenir certains invités dans les temps. Ils purent ainsi réserver le lieu des festivités et les professionnels nécessaires à une célébration optimale de ce jour si particulier. Bien évidemment, la mère de Marine avait tenu à s'occuper de la robe de mariée de sa fille, tandis que les parents de Victor s'occupaient du costume du marié, ainsi que de certains à-côtés, les deux familles allant jusqu'à se mettre d'accord pour participer aux boissons. Pour le reste, le jeune couple se chargeait de tous les autres frais, mais aussi des invitations. Il était par ailleurs satisfait que son équipe cycliste professionnelle prenne en charge une vingtaine de chambres d'hôtel, soit plus que le nombre d'invités de l'équipe en question. Le vendredi 8 juin, le couple est sur le pont, présent depuis la veille chez les parents de Marine, à Deauville, ceux-ci accueillant aussi les parents de Victor, et la journée est dédiée à l'accueil des invités arrivant dès ce vendredi, autrement dit le reste de la famille, les amis fidèles et les témoins. La majorité des invités arrivant par train, il était facile d'aller les chercher pour les accueillir de manière sympathique chez les Bériot, habitant à l'angle de la rue Victor Hugo et du quai de la marine, soit à trois cent cinquante mètres de la gare de Deauville-Trouville. Il y avait de l'ordre de soixante-quinze personnes concernées par ce mariage. Alors que les futurs mariés s'occupaient de se faire beaux, passant chez le coiffeur, ainsi que chez l'esthéticienne pour Marine, les familles, notamment le frère de Marine, s'occupaient de l'intendance, en particulier en allant chercher les invités au fur et à mesure de leurs arrivées. Le midi, ce fut un léger brunch au domicile des parents de Marine, alors que certains invités prenaient aussi possession de leur chambre d'hôtel, à différents points de la ville. Tous se retrouvèrent chez les Bériot pour un départ de cortège à pied vers la mairie, distante de trois cent cinquante mètres, la mariée partant plus tard. Il se rappelle qu'elle était alors apparue, après avoir contourné le quartier, dans une calèche très luxueuse, tirée par 2 chevaux et dirigée par un chauffeur en livrée. Le souvenir de cette apparition, au même moment qu'arrivait le cortège, lui semble encore prodigieux, synonyme de moment d'éternité.

68

Son père l'aide alors à descendre du véhicule, juste devant la mairie et la lui présente officiellement. S'en suit la marche vers la mairie, l'entrée dans la salle des mariages, l'accueil par le maire en personne, Michel d'Ornano, ancien ministre de Giscard d'Estaing par ailleurs, et l'entrée de toute l'assistance. Toutes les images qui se succèdent lui reviennent comme plus merveilleuses les unes que les autres. Avant que le maire n'officie, chacun prend place, avec notamment les témoins autour des mariés. Il y a pour Marine son frère Baptiste Bériot, de deux ans son aîné, et Sylvie Michalon, son amie d'enfance dont elle était pratiquement inséparable. Victor se souvient que ses témoins étaient Gisèle Tardieu née Dubutran, son amie d'enfance avec laquelle un lien si particulier existe encore, et Brice Gallopin. Dans l'assistance, il y a la famille proche, quelques amis, dont Florian Bargaut, avec lequel il est resté en contact, mais aussi les deux patrons architectes de marine et quinze membres de son équipe cycliste professionnelle, sans oublier Jean-Paul Douai et l'ensemble des conjointes et conjoints, mais aussi deux invités de marque, Laurent Fignon et Philippe Sella lui ayant fait le plaisir de répondre favorablement à l'invitation. À 15 heures tapantes, le maire énonce les articles essentiels et tout le vocabulaire habituel avant qu'ils ne soient officiellement mari et femme. À 15 h 15, tout ce petit monde est dehors, se dirigeant vers un espace vert, où un photographe procède à l'ensemble des clichés habituels. L'ensemble du cortège se dirige ensuite à quatre cents mètres de là, pour arriver à 16 h 30 à l'église Saint-Augustin, tout en ayant aperçu où se tiendrait le reste des festivités. La cérémonie a lieu durant une bonne heure, avant la sortie radieuse des mariés. Les familles des mariés se chargent alors de l'ensemble des invités pour les amener à la salle des fêtes dédiée au reste de la journée, pendant que les mariés sont accompagnés par le photographe sur la plage de Deauville pour réaliser des clichés de couple. À 18 h 30, les mariés rejoignent leurs invités, leur adressent un petit discours et les invitent à boire en leur honneur. Puis c'est l'enchaînement classique entre apéro, installation à table pour le repas, entrecoupé par moments de temps d'animation, puis de danse avant l'arrivée de la pièce montée et la fête jusqu'à plus soif. Il se rappelle qu'il devait passer de table en table pour s'enquérir de la bonne tenue de la soirée, ce qui lui permit de pouvoir échanger avec celles et ceux peu vus depuis longtemps, mais aussi de mieux apprécier celles et ceux qu'il ne connaissait pas encore très bien. Ces temps pouvaient aussi paraître fastidieux, mais il lui suffisait de regarder son épouse pour retrouver immédiatement la sensation principale de légèreté de l'évènement. Le lendemain, il y a eu la fin des festivités pour celles et ceux qui avaient pu rester, autrement dit essentiellement leurs familles respectives et les témoins. Après ce mariage, qui fut une réussite, ils pouvaient s'installer pour de bon dans la vie, ce qui s'est traduit rapidement par des succès sportifs pour lui, mais également par une certaine réussite dans ses affaires pour Marine. Elle sentait d'ailleurs qu'elle devait prendre son envol. Elle en parlait d'ailleurs autant à Victor qu'à son amie Sylvie. Cette dernière, mise à part être témoin de son mariage, meilleure amie depuis l'enfance, avait été brillante dans ses études, passant un Bac littéraire avec mention très bien, finissant son doctorat en droit en 1985, soit au même moment que leur mariage. Étant spécialisée en droit pénal et droit des affaires, elle avait rapidement décidé de créer un cabinet en commun avec deux amies rencontrées durant les études. Et ce cabinet, elles l'avaient créé dans l'Ouest parisien, ayant pu se faire assez rapidement une clientèle prometteuse. Cette réussite faisait envie à Marine et elle était contente de pouvoir passer du temps avec son amie, maintenant qu'elle résidait à proximité de Paris, d'autant que Victor n'était pas toujours présent. Jusqu'à la moitié de l'année 1986, les discussions allaient bon train, l'idée même de se lancer devenant une évidence, mais l'idée d'avoir un enfant avait aussi germé. C'est l'annonce d'une grossesse débutante à l'automne qui mit de côté l'idée de se lancer. Au moins, cela leur permettait de continuer à mettre de côté, encore qu'il fallait penser à changer de lieu de résidence, afin d'accueillir le nouveau-né à venir. C'est une petite Perrine qui arriva le 14 mai 1987 à Versailles, le couple ayant trouvé en février de la même année un logement adapté, quoique modeste, dans la commune de Chaville, à l'ouest du chef-lieu des Yvelines. Après avoir travaillé de septembre 1983 à mars 1987, moment de son congé maternité, sa décision était prise de se lancer le plus vite possible, ne serait-ce que pour ne pas traverser tout Paris pour aller au travail. Elle prépara son coup durant son congé et continua lors de sa reprise d'activité, ainsi que pendant les congés d'été 1987, ce qui lui aura permis de donner sa démission pour une effectivité en octobre 1987, date à laquelle elle créait son cabinet d'architecte à Versailles même. Elle n'eut d'ailleurs aucun mal à se lancer, soit par le recours à des relations, d'une partie de réseau, mais aussi par sa faculté à répondre rapidement et efficacement à des demandes, de plus de la part d'une clientèle plutôt aisée. Et Victor se rappelle que les économies réalisées, ainsi que ses résultats probants, se traduisant par des revenus supplémentaires, étaient autant d'atouts pour la liberté d'action dans les affaires naissantes de son épouse. C'est aussi cette solidité financière, doublée de la réussite plus que prometteuse en quelques mois, qui a permis au couple d'accéder à la propriété et de rénover très astucieusement une maison individuelle à Hanches, dans l'Eure-et-Loir, juste en dessous d'Epernon. Victor se souvient qu'ils avaient flashé sur cette bicoque et surtout son coin de verdure, permettant de disposer d'un coin à soi, loin de toutes les sollicitations possibles dans sa vie effrénée. Histoire que les travaux soient effectués, l'emménagement avait eu lieu pour les deux ans de leur fille. Et ce fut Brice qui fut impressionné par le travail d'architecte de sa femme ! Les deux couples se voyaient de temps à autre, mais assez vite Brice fit la demande de pouvoir compter sur Marine pour une maison de ses rêves dans un lieu divin. Après quelques recherches durant plusieurs mois, le terrain s'offrait sur la commune de Limours, dans l'Essonne, juste au sud-ouest des Ulis. Le projet était tellement ambitieux qu'il lui sera livré en avril 1993, et Brice ne tarissait pas d'éloge sur le travail de Marine, lui assurant aussi encore plus de retombées positives.

Le fait de repenser à Brice ne lui rappelle pas la raison de sa retenue en cellule, où il dort tant bien que mal, mais à sa carrière sportive et son essor tout à fait particulier. Brice avait quitté l'INSEP pour être le médecin de l'équipe où courrait Laurent Fignon, et ce de 1984 à 1987. Pendant ce temps, Victor continuait d'impressionner avec ses qualités de puissance et de résistance, qui en faisait un super baroudeur, une aide impressionnante pour préparer les sprints, voire les remporter, sans compter la progression dans l'effort solitaire en contre la montre. En termes de progression, c'était 3 victoires d'étape sur le Giro et le Tour de France en 1985, de même en 1986 sur le Tour de France et la Vuelta, mais 4 sur les mêmes épreuves en 1987 et ce en contre la montre, sans compter 2 places de 2ème et 2 victoires dans des classiques, de même en 1986 et 1987 dont Paris-Roubaix, auxquelles il faut ajouter le championnat de

France le jour de ses vingt-six ans, année où il gagne le Championnat du monde, rééditant sa victoire l'année suivante pour garder le maillot tricolore, alors que la même année il était champion du monde du contre la montre. Mais ce qui intéressait Brice, c'était sa capacité à résister plus que convenablement en moyenne et haute montagne, d'où la place de 10ème sur le Paris-Nice en 1986, puis 8ème l'année suivante. Brice avait quitté l'équipe de Laurent Fignon pour satisfaire à un double objectif : faire progresser les champions de l'époque dans les meilleures dispositions et pouvoir reprendre une partie de son activité au sein de l'INSEP pour accompagner très scientifiquement ses poulains. C'est ce qui lui permit d'aborder franchement la question avec Victor, lui proposant de l'aider à gagner en endurance, en efficience dans l'effort avec oxygène raréfié, à la seule condition de perdre du poids. Ceci imposait un effort soutenu pour l'athlète, mais aussi d'être accompagné dans le maintien d'une efficience musculaire, en travaillant au sein de son équipe sur le matériel et à l'INSEP en soufflerie et dans un suivi optimisé de la dépense énergétique. Sa licence de biologie médicale lui permettait de comprendre ce dont il retournait. Cela l'amusait de se rappeler que les efforts pour perdre du poids s'étaient produits au moment où Marine en prenait du fait de sa grossesse. Il lui avait fallu réellement deux saisons pour trouver le bénéfice, c'est-à-dire ne rien perdre de sa capacité d'accélération, de maintenir un effort de puissance sur un temps long, de l'ordre de quarante-cinq minutes à une heure, mais surtout de pouvoir augmenter de rythme de pédalage et d'efficience en altitude, y compris au-delà de deux mille mètres. Le résultat ne se fit pas attendre, avec une 6ème place dans le Paris-Nice, une victoire d'étape en montagne dans le Dauphiné Libéré, et 6ème à la Vuelta et 10ème dans le Tour de France en

1988. En 1989, il gagne encore 2 classiques, dont le Tour de Lombardie, la reine des classiques, qu'il n'avait encore jamais gagné, mais les courses par étapes commencent vraiment à compter avec une 5ème place dans Paris-Nice, de même pour le Dauphiné Libéré, 3ème dans la Vuelta et 8ème au Tour de France. Alors qu'il arrive à ses trente ans, il est à l'apogée avec 3 classiques de début d'année glanées, ainsi que Paris-Nice et la Vuelta, alors que pour le Dauphiné Libéré et le Tour de France c'est la 3ème place, échouant de peu, ce qui ne l'empêche pas d'être pour la troisième fois champion de France, mais aussi champion du monde pour la deuxième fois, et ce sur terrain très accidenté. Cette année-là débute le classement mondial, ce qui est une révolution pour les équipes et les sponsors et c'est Victor qui devient le premier numéro un mondial de sa discipline, et en partie grâce à Brice. Un cycliste nettement plus jeune que lui et très prometteur, en la personne de Wolfgang Cheskowic, finit alors quatrième mondial, son équipe étant celle où exerçait Brice. D'ailleurs l'année suivante ce jeune coureur devient numéro deux, juste devant Victor, alors qu'un autre phénomène fait son apparition et il s'agit d'Elvis Monroe. En 1992, un sponsor casse la baraque pour rivaliser avec l'équipe d'Elvis, et ce sont Victor et Wolfgang qui sont ensemble pour se challenger mutuellement, accompagnés alors par Brice, histoire de bonifier l'ensemble. Si les jeunots se tirent la bourre et finissent premier et deuxième sur le plan mondial, l'avantage étant pour l'équipe de Victor, ce dernier étant quatrième mondial, avec encore la reine des classiques à son actif, mais aussi une victoire au général au Giro. Par la suite, il glanait ce qu'il pouvait, mais le poids des années se faisait sentir, ce qui ne l'empêchait pas d'aider et faire progresser le jeune Wolfgang, même si les rapports n'étaient pas au beau fixe avec son leader. C'est surtout en 1995 et 1996 qu'il a souhaité aidé de manière plus affirmée deux jeunes coureurs prometteurs français, ceux-ci étant Fabrice Dufnac et Laurent Douaneau et il pouvait encore compter sur son complice Brice. Ses souvenirs ne le trompaient pas : Marine était son âme sœur, son équilibre, d'autant plus avec la survenue de Perrine, et Brice était son confident professionnel, celui qui lui avait permis de s'affirmer et de progresser dans le sport professionnel. Comment pouvait-on douter de lui à ce point qu'il soit imaginable qu'il puisse l'avoir tué ?

À dix heures, c'est la jolie et sereine Sylvie qui le sort de son sommeil. Elle le rassure sur la combativité et le calme retrouvés chez sa femme, plus que jamais avec lui, sa fille étant au courant sans qu'on soit entré dans les détails et il peut compter également sur la femme de Brice, qui ne comprend rien, qui ne peut croire dans sa culpabilité, même si elle particulièrement effondrée. Elle précise qu'elle assurera le lien, ayant été avisée par la police qu'il n'était pas question que les deux épouses se rencontrent. Après avoir été conduits dans une pièce dédiée aux échanges entre avocat et mis en examen, elle lui demande de l'informer d'éléments qui lui seraient revenus dans la nuit, en n'omettant aucun détail, même s'il n'apparaissait pas important. après un temps de réflexion, Victor lui répond :

« J'ai pas trop réfléchi à tout cela, mais je suis d'accord avec toi sur le fait que le témoignage du voisin n'est pas assez concluant, du fait de la luminosité et qu'il n'est pas resté en permanence en observation, sinon il m'aurait vu repartir largement avant l'heure retenue par la police »

« Ça, c'est un point important, mais plus pour plaider auprès d'un juge, voire d'une cour d'assises, mais pas pour le moment au niveau des policiers. Et pour le texto ? »

« Là, je ne comprends rien et surtout je n'y crois pas. Ton objection sur le fait qu'il faille vérifier qu'il ait été envoyé et même reçu me semble essentielle ! »

« Je ne rajoute rien, si ce n'est qu'il va falloir un peu de temps pour ce type de vérification ! Et pour les empreintes et la disparition du matériel informatique ? »

« Pour les empreintes, c'est logique de les trouver et ce serait même l'inverse qui serait surprenant ! »

« Bien vu, mais là aussi c'est bon pour la suite, mais pas pour le moment, puisque le policier en charge de l'affaire est persuadé de ta culpabilité et certains éléments de preuve ou faisceaux d'indices sont contre toi, mettant en discordance des faits a priori et ce que tu racontes. »

« Ça veut dire que c'est mal engagé ? »

« Non, ça veut juste dire qu'il va falloir se battre et argumenter point par point pour qu'un magistrat soit obligé de s'appuyer sur les faits non contestables et seulement ceux-là. Pour l'ordinateur ? »

« C'est très surprenant de ne rien avoir retrouvé, y compris et surtout le disque dur de son PC ! Et je n'ai aucune explication ! »

En disant ces mots, Victor ne peut, ne veut imaginer le pire et notamment que le meurtre de son ami soit lié à un vol informatique. Il se rappelle alors, en prolongation de ses divagations nocturnes, les propos de Brice quant à son travail :

« Je sais juste que Brice était une pointure en matière de physiologie de l'effort, et j'en suis la preuve vivante puisque je n'aurais pas eu les résultats qui sont les miens depuis dix années sans son travail. Il notait intégralement ce qu'il faisait, les résultats obtenus, les doutes et les réflexions pour avancer plus avant et faire progresser le sport professionnel. Et n'avait de cesse de vouloir lutter contre le dopage. »

« Tu veux dire quoi en parlant de dopage ? »

« Je dis simplement qu'il suivait de très près tous les sportifs avec qui il travaillait, de manière à améliorer leurs performances, mais sans que ceux-ci ne soient tentés par la facilité et de fait pouvoir les préserver. »

« Que pensait-il du cyclisme et du dopage ? »

« Il pensait que le dopage était présent, et depuis longtemps, mais pas seulement dans le cyclisme. Il pensait aussi qu'il était plus facile de lutter contre ce fléau dans les sports individuels et d'autant plus dans les sports mécaniques. Après réflexion, il m'avait confié qu'il était de plus en plus inquiet quant au dopage dans le vélo ! »

« À ce point ? »

« Oui, mais je n'en sais pas plus ! » cette sentence étant assénée assez brutalement, comme pour mettre fin aux échanges.

Un temps plus tard, le temps qu'un petit malaise tente de se dissiper, Sylvie lui répond alors :

« Bon, on a donc du travail, surtout moi et je vais essayer de me faire communiquer au plus tôt le dossier. Avec ce que tu viens de me dire, il ne faut pas négliger un piège tendu ! » Victor fait mine de ne pas réagir. Elle finit par lui dire : « Ne t'inquiète pas, je suis pugnace, tu me connais ! Je vais d'abord essayer de te faire libérer et nous sommes loin des assises ! Tiens bon ! Je reviens dès que j'en sais plus ou si tu es à nouveau interrogé. »

Il est 10 heures 45 quand il est reconduit en cellule, quelque peu perplexe. Il se met alors à penser à la suite du procès, tel qu'il se l'était imaginé la veille.

Nous sommes toujours le 17 mars 2003, alors que le phénomène du dopage avait été beaucoup débattu, preuve que son subconscient avait déjà glissé sur ce terrain. Il en était resté à des magistrats hostiles à son égard pour deux sur trois de la Cour d'Assises, sans oublier la procureure qui n'hésitait jamais à le charger. Les propos de son avocate sur le texto remontent alors et il imagine le président s'adresser à lui :

« Que pensez-vous de ce texto entre votre soi-disant meilleur ami et votre épouse ? »

« Rien, si ce n'est que je n'y crois pas, monsieur le Président ! »

« Et pourtant, il existe ! » surenchérit la procureure.

« C'est incompréhensible et reste incroyable de mon côté. »

« Et du côté de mesdames » reprend le président en désignant par la main l'épouse du médecin décédé, puis l'épouse de Victor. Victor regarde alors les deux femmes se regarder, s'épier, essaie d'y voir un signe. L'épouse de son ami est en larmes et comment doit-il prendre cette réaction ? Il voudrait penser que la Cour lui fait une peine immense en crachant sur un défunt, mais il ne peut s'empêcher de penser qu'elle a maintenant un doute.

« Tu ne vas pas croire à ces sottises, pas toi ! C'est indigne de traiter ton mari de la sorte ! »

Il observe alors la réaction de Marine, qui reste stoïque, restant de marbre, le regard figé vers son amie, épouse du défunt, puis cherche comme du secours vers son amie l'avocate. À ce moment-là, Victor ne peut imaginer que son épouse obéit aux consignes de l'avocate pour ne pas prêter plus d'importance au texto qu'il ne faudrait. Mais Victor est déjà passé à la réaction de sa fille, alors âgée de presque seize ans. Et il devine une jeune fille, devenue plus mature par la force des choses, emprunte au doute et semblant souffrir au plus haut point.

« Arrêtez de torturer ma femme et ma fille avec vos insanités ! »

« Mais monsieur Larcher, c'est à vous de les préserver en nous racontant la vérité et en arrêtant de vous murer dans le silence, voire à nier les évidences. »

« Quelles évidences, la seule évidence, c'est que j'ai été piégé ! »

« Allons bon, c'est nouveau ! Vous pouvez m'en dire plus ! Le tribunal vous écoute et nous sommes prêts à tout entendre ! Au moins cela sera peut-être un peu distrayant, mais cela aggravera aussi votre cas ! » surenchérit la procureure.

« C'est la seule solution, je fais l'objet d'une machination, j'ai bel et bien été pié… »

Il n'a pas le temps de finir sa pensée, se réveillant en sursaut, comme si une lumière venait d'éblouir une salle obscure et lui montrait la sortie qu'il cherchait en vain depuis longtemps.

Il s'exclame alors :

« Monsieur le policier, j'ai besoin de parler à nouveau à mon avocate ! »

« Je vois ce que je peux faire », puis il téléphone à qui de droit, avant de lui répondre :

« Vous avez de la chance, elle arrive », puis un autre policier le sort de sa cellule et le ramène dans la même pièce qu'un quart d'heure plus tôt.

Une fois seuls, Sylvie s'adresse à lui : « Tu ne veux plus qu'on se sépare ! » avec un brin d'humour.

« Non, c'est que je me suis replongé dans mes idées noires, mais que je viens de comprendre que je me suis fait piéger et je voulais à tout prix t'en parler. Mais comment se fait-il que tu sois encore là ? »

« Tout simplement parce que j'essayais de me faire communiquer ton dossier par le fonctionnaire de police Bruno Maupuis, qui est bien un de tes admirateurs, mais il a fallu ensuite jouer plus serré avec son supérieur, Clovis Mourdin, ce dernier ayant déboulé au son de ma voix. Et de discussion en discussion, nous n'avancions pas vraiment lorsque tu as fait savoir que tu voulais me parler à nouveau. Ton policier préféré a bien essayé de s'y opposer, arguant qu'on venait de se quitter, mais j'ai fini par lui faire comprendre qu'un appel auprès du bâtonnier, et de fait au procureur, allait lui poser souci. Et il a fini par obtempérer, proposant même que je t'amène un café, que voilà ! »

« Il est trop bon, cet homme, mais c'est sûrement parce qu'il croit me tenir pour de bon ! »

« Peut-être, mais j'ai maintenant besoin d'en savoir plus ! »

Chapitre 5
La certitude d'un piège

« À force de gamberger et de me replonger en arrière, je me suis souvenu de plusieurs éléments qui me font dire que j'ai été piégé au sein d'une machination, dont je ne soupçonne pas tous les contours, mais mon ami a été tué pour une bonne raison et je dois servir de bouc émissaire ! »

« Qu'est-ce qui te fait dire ça ? »

« Je me suis rappelé qu'il m'avait confié lors des derniers jours de la Vuelta qu'il était sur le point de mettre à jour quelque chose d'inouï, mais sans m'en dire plus, sans que de mon côté je n'y fasse trop attention. Je sais aussi qu'il comptait m'en dire plus rapidement, d'autant qu'il avait de sérieux doutes sur le fonctionnement du cyclisme depuis quelques années, ce à quoi je ne prêtais pas plus attention que cela, considérant que c'était sûrement une de ses lubies ! »

« Tu es sûr et certain qu'il t'a confié qu'il s'agissait de dopage ? »

« Non, mais cela semblait être très préoccupant, et même sensationnel, et quand on sait à quel point la lutte antidopage lui tenait à cœur, je ne vois rien d'autre de plus plausible. »

« Soit, cela expliquerait peut-être certains éléments peu probants, mais surtout il va falloir le prouver. Y aurait-il un lien

81

avec la disparition de son ordinateur portable et du disque dur de son PC ? »

« Sans aucun doute, puisque Brice notait tout : des expériences qu'il menait, en passant par des hypothèses et des conclusions, avant d'élaborer des théories, comme par exemple le lien entre Indice de Masse Corporelle (IMC) et puissance développée, mais aussi les performances des sportifs, tant en laboratoire qu'en réalité avec la prise en compte de nombreux paramètres. Et il faisait çà depuis longtemps, au moins depuis que je le connais, mais cela s'était accéléré depuis qu'il avait quitté l'équipe de Laurent Fignon »

Sylvie reste bouche bée, puis très interrogative : « Peux-tu m'expliquer simplement ce dont il se méfiait, du moins de ce que tu en sais et que tu avais pu comprendre ? »

« Je vais essayer et c'est vrai que ma licence m'a mis en situation de mieux comprendre qu'un autre l'ensemble de sa démarche. »

Il lui rappelle alors qu'il avait quitté l'équipe de Laurent Fignon pour bénéficier de plus de moyens, au sein d'une équipe où se trouvait le talentueux et prometteur Wolfgang CHESKOWIC, jeune coureur polonais de vingt ans, né à Cracovie, lorsque Brice devient le médecin de son équipe. Ce qui était prometteur, au-delà des performances connues en junior, mais aussi depuis quelques mois, c'était le profil de ce sportif : 1 mètre 86 pour 68 kilos, soit un IMC à 19,66, ce qui en fait un excellent grimpeur, mais doté d'une réelle puissance liée beaucoup à des grands segments, mais aussi dotée déjà d'une volonté hors-norme. Il insiste ensuite : « Si Brice l'a beaucoup fait progresser dans l'entraînement et la gestion de l'effort, tout en s'assurant qu'il ne puisse y avoir de problèmes médicaux dans le même temps, de mon côté, je l'ai vu progresser très vite en course. De plus, j'ai intégré une super équipe, où Brice était présent, et mon rôle était de le challenger et de le faire progresser encore plus vite. Je sais que Brice notait toute sa progression et je pense ne rien trahir de sa pensée en considérant qu'il ne doutait pas de ses performances, et ce jusqu'à maintenant, soit pendant huit années. Ceci n'était pas nécessairement le cas avec le concurrent direct de Wolfgang, qui était dans une équipe encore mieux dotée, et qui s'appuyait régulièrement sur le concours d'un médecin au passé sulfureux en matière de dopage. Ce concurrent direct se nomme Elvis Monroe et c'est indéniable qu'ils étaient en confrontation directe entre 1991 et maintenant, trustant de nombreuses classiques, des victoires dans des courses à étapes, avec une avance plus nette pour le coureur américain, alors que son pedigree semblait être moins favorable. En effet, cet américain natif de l'Utah, à Moab, en mars 1968 était passé d'abord par le VTT, ce qui paraissait logique du fait de sa stature, avec 1 mètre 77 pour 72 kilos et un IMC à 22,98. En devenant leader mondial de 1994 à nos jours, la suspicion sur ses performances se confirmait dans les milieux éclairés. Et Brice était de ceux-là ! »

« Est-ce qu'il avait trouvé comment les tricheurs pouvaient procéder ? »

« Je pense que oui, et c'est sûrement pour ça qu'il avait finalement été dépassé par ses trouvailles, le scandale potentiel devant alors être plus conséquent que ce qu'il imaginait au départ. »

« Et toi, tu en pensais quoi ? »

« Peu de choses, si ce n'est que je pensais que Wolfgang était un champion hors-norme, auquel je n'ai plus eu grand-chose à lui apprendre, et ce assez rapidement. Voyant arriver la limite d'âge, je voulais pouvoir faire profiter mon expérience à des jeunes Français, d'autant plus qu'il m'apparaissait légitime de concurrencer le coureur américain, que je suspectais aussi d'avoir recours à des procédés et/ou produits illicites. Il se trouve que les deux perles en question, arrivées dans mon équipe, sont Fabrice Dufnac et Laurent Douaneau. Le premier, rejoignant mon équipe en 1995, avait alors vingt ans, taillé pour le cyclisme du fait de ses origines bretonnes, mais aussi et surtout pouvait avec ses 1 mètre 81 pour soixante-et-onze kilos, l'IMC étant de 21,67, être un vrai puncheur, bon grimpeur sauf en haute montagne et le second, présent dans l'équipe l'année suivante pour ses dix-huit ans, bon grimpeur avec ses 1 mètre 68 pour 57 kilos et un IMC à 20,2. Sa limite dans l'effort intense était compensée par une volonté extraordinaire et un sens tactique déjà aiguisé. Mon aide pouvait être précieuse, mais l'aide apportée par Brice serait alors primordiale. Tu pourras noter que ce jeune m'intriguait et sa complicité avec lui était peut-être due au fait que son anniversaire tombait le même jour que celui de Marine. »

« C'est possible de m'expliquer le lien que Brice aurait mis entre l'IMC et la performance de chaque cycliste ? »

« Les connaissances en matière de médecine du sport se réfèrent essentiellement au cycle de Krebs, c'est-à-dire le fonctionnement énergétique au niveau de la cellule, puis les systèmes mis en place pour gérer la contraction musculaire, qu'il s'agisse d'anaérobie alactique, anaérobie lactique et aérobie, le dernier étant celui essentiel pour un effort endurant. Cela passe par un entraînement adapté pour augmenter la performance et la faculté de récupération, ce qui implique des mécanismes intimes au sein de l'organisme. Ces dernières années, il avait été possible de développer des techniques assistées de surveillance cardio-respiratoire, mais aussi en s'appuyant sur des explorations fonctionnelles respiratoires et autres bilans comme les gaz du sang, ou encore le suivi nutritionnel de pointe, tout ceci ne pouvant se faire qu'en univers médicalisé conséquent. Brice avait commencé par imaginer un lien étroit entre la performance et le rapport poids/puissance, soit un certain nombre de watts développés en se référant au poids, ce qui peut être mesurable, et en intégrant les difficultés telles que le vent, la pente de la route, la température et l'humidité ambiante, et autres critères pouvant être retrouvés en course, sans oublier les facteurs d'aérodynamisme. »

« J'aimerais comprendre : on pourrait mesurer quoi avec cette démarche ? »

« Si je prends mon exemple, au début de ma carrière cycliste, j'étais nettement plus lourd et de fait plus musculeux que maintenant, d'où un IMC plus faible qu'aujourd'hui et à l'époque je pouvais aller à une certaine vitesse très soutenue pendant très longtemps et même contre le vent, mais pas avec une pente forte qui dure plus de quelques kilomètres, ce qui peut se traduire par un nombre maximum de watts pouvant être développés. J'ai appris avec Brice à maintenir certaines compétences en matière de force musculaire, tout en perdant du poids, d'où un IMC plus élevé et des compétences accrues dans des montées à fort pourcentage, et c'est ce qui m'a permis d'être plus performant dans les courses à étapes. »

« Je comprends le principe, mais en quoi cela peut apparaître plus clair ? »

« Au début de carrière, je pouvais développer une puissance de 450 watts pendant plus d'une heure sur du plat, mais j'étais limité à 350 watts en montée de 10 % de pente et sur un maximum de 5 minutes, ces chiffres étant des maximales à atteindre et maintenant je peux développer un maximum de 430 watts sur le plat dans les mêmes conditions, alors que mon maximum est de 400 watts sur la même pente mais sur un temps multiplié par 6. La force de Brice aurait été d'arriver à lier tout cela, avec une application très novatrice, à l'IMC de chaque coureur. »

« Et ça impliquerait quoi ? »

« De pouvoir affirmer, par exemple, qu'un coureur de 1 mètre quatre-vingt-cinq et 77 kilos peut développer un maximum de 500 watts sur le plat pendant 45 minutes, avec vent neutre et un maximum de 350 watts sur une pente de 8 % pendant 12 minutes maximum, et qu'en cas contraire, cela signifie qu'il bénéficie d'un dopage, soit chimique, soit mécanique, voire les deux, sans avoir besoin d'aucune autre preuve ! »

« Mais n'y a-t-il pas des champions hors-norme qui échapperaient à ce principe ? »

« Eh bien non, puisque Brice était persuadé que sa démonstration devait nous amener à considérer que son équation était propre à évincer toute exception, se référant à des technologies reproductibles, démontrées et non contestables. »

« Mais les résultats ne peuvent-ils pas être différents selon la qualité de la nutrition, de l'entraînement, de la préparation mentale ? »

« Ces éléments sont pris en compte, et ils ne peuvent alors permettre qu'à aboutir au maximum de puissance ainsi prédéfinie en fonction des critères de l'équation. Cela revient donc à dire que tout sportif dépassant le maximum de puissance attendue en se référant à son IMC et aux variables connues de l'équation sera convaincu de dopage et sanctionné par la suite. »

« Et que faire de la science de la course, de l'expérience, de la stratégie, des alliances entre des équipes et même du facteur chance ? »

« Tout ceci existe, mais c'est ce qui contribue à la magie du sport, redevenant plus incertain, plus admirable et c'est ce que beaucoup de monde attend encore ! »

« Je crois comprendre, malgré mes limites en sciences, que c'est plus qu'un travail, mais une forme de modification fondamentale dans l'approche du sport de haut niveau ou non, que c'est même révolutionnaire si cela peut exister, mais cela nécessite des moyens substantiels, non ? »

« Oui, et il les avait au sein de l'INSEP, mais il craignait que certaines équipes, dotées de fonds plus que conséquents, soient en capacité de développer une démarche assez similaire, mais plus pour augmenter les performances grâce à des procédés illicites, même et surtout si protégés par un environnement très médicalisé. Le niveau de recherche, d'analyses statistiques et de données médicales était tel que tout profane, même un peu averti, serait largué et qu'il serait aisé de noyer le poisson. Son souhait était d'arriver à créer ce lien étroit entre l'IMC et la capacité réelle de développement maximal de puissance, en intégrant facilement dans l'équation les critères liés à la pratique réelle. Ce calcul rapide permettrait autant au coureur de mieux se connaître dans l'effort, au moins pendant l'entraînement, puis de savoir où il en est durant l'effort de compétition avec des moyens modernes devant être développés, comme des applications programmées et mises en place sur le vélo, qu'aux officiels de savoir en temps réel quand un coureur n'est plus dans la légitimité de son effort : le dopage, chimique comme technologique, pourrait alors être éradiqué et il serait question de revenir à un sport de compétition plus éthique et surtout au principe de l'aléa de la course, qui fait le sel du sport, tel qu'on le rêve encore ! »

« Tu penses qu'il s'en approchait ? »

« Je pense que oui, et c'est même pourquoi il avait commencé à se confier à moi, parce qu'il avait confiance en moi, mais pas encore au point de m'avoir révélé ce qu'il avait trouvé, tellement cela devait être énorme et pour me protéger, peut-être ! »

« Tu penses qu'il soupçonnait quelqu'un en particulier ? »

« Cela va plus loin. Je sais qu'il soupçonnait l'équipe du leader mondial, au regard de ses performances apparaissant à tous comme hors-norme, mais s'il était en train de finaliser son analyse des faits avant de m'en parler plus précisément, c'est certainement qu'il avait déjà trouvé des éléments accablants et qu'il avait de quoi faire bouger les choses. »

« Tu es en train de m'expliquer qu'il avait non seulement du trouver de quoi lutter efficacement contre le dopage, mais qu'il pourrait avoir été en possession de preuves d'action illicites au sein d'au moins une équipe cycliste professionnelle et que c'est pour cela qu'il aurait été éliminé ? »

« C'est bien ça et c'est même pourquoi les données informatiques auraient été dérobées pouvant servir de preuve, afin de protéger tout un petit monde qui avait intérêt à ce qu'il ne puisse rien divulguer et il y a fort à parier qu'il ne manquait pas d'éléments. »

« Ça se tient, mais cela doit se prouver, sinon cela reste des suppositions. »

« Ce ne seraient que suppositions et même allégations si celui en qui il avait le plus confiance devait être condamné et discrédité, mis à l'écart, d'où le fait de me faire tomber dans un piège. »

« Là aussi cela se tient, si tes réflexions initiales sont justes, et il m'apparaît que cette piste est sérieuse, mais ça veut dire aussi qu'on est en face d'une démarche particulièrement machiavélique et que c'est comparable à des actions de type "barbouzeries" et il va falloir se battre pour prouver tout cela. »

« Si je comprends, cela risque d'être difficile ? »

« A priori, oui, encore que cela va dépendre de ce qu'il y a dans le dossier. Nous avons déjà des doutes sur le témoignage visant la voiture, sur le texto qui est en attente de vérifications, mais il y a aussi des faisceaux sur lesquels la police s'appuie pour t'incriminer et il va falloir se battre pied à pied. Je suis très en attente de l'autopsie pour être en capacité de rebondir sur des éléments factuels. »

« Mais il va nous falloir apporter la preuve de mon raisonnement ! »

« Oui, et ça ne va pas être simple ! »

« Comment cela va se passer maintenant ? »

« Concrètement, la garde à vue peut durer jusqu'à demain matin, mais il faudra que tu sois présenté à un juge, ce qui devrait être fait dans la journée. »

« Tu t'es organisée pour être au rendez-vous ? »

« Évidemment que oui, et j'en connais une qui ne me le pardonnerait pas en cas contraire ! »

« Et après ? »

« Cela dépend d'abord du juge, qui peut te mettre en examen et même demander ta mise en détention, ce qui est ensuite du ressort du juge des libertés. »

« Et tu comptes agir comment ? »

« Simplement argumenter devant le juge en fonction de tous les éléments versés au dossier, et si besoin faire de même pour éviter la mise en détention »

« Tu sembles défaitiste sur la suite ? »

« Non, mais pragmatique et m'attendant au pire, d'autant qu'il semble s'agir d'un piège et qu'il nous manque pour le moment des preuves pour disqualifier le récit juridique tel qu'il semble se dessiner. »

« Compris, il va falloir trouver des preuves ! »

Il est environ douze heures et trente minutes, lorsqu'ils se séparent, Victor étant raccompagné en cellule, ce qui permet au policier de permanence de lui donner quelque chose à manger, qu'il dévore assez vite, les pensées et les échanges de ces dernières heures l'ayant affamé.

Il est quatorze heures trente minutes lorsque Clovis Mourdin, assisté de Bruno Maupuis, vient chercher Victor, qu'ils amènent dans une voiture de police, un autre policier faisant office de chauffeur. Ils quittent ainsi Arpajon, direction plein est. Dans un premier temps, Victor est ébloui par la luminosité, ne revoyant l'extérieur qu'après presque trente heures à être coincé à l'intérieur des locaux de la police. Il peut alors savourer le temps ensoleillé de ce début septembre, la température étant encore très clémente. Dix minutes avant 15 heures, ils arrivent devant le palais de justice, sortent du véhicule et se dirigent vers le bâtiment de béton et de vitres. C'est à ce moment seulement que Victor se sent gêné par les entraves que sont les menottes, avec même une petite crainte d'être reconnu, mais il n'y pas âme qui vive ou si peu. Ils arrivent devant une porte et attendent alors, tandis que Clovis entre dans le bureau et qu'ils sont rejoints par Sylvie, son avocate. Bruno en profite pour demander très discrètement à Victor si tout va bien, lui faisant comprendre qu'il est plus que désappointé que les choses se passent de cette manière, mais s'interrompt très vite, dès que la porte s'ouvre à nouveau. Ils sont invités par Mme Justine

Baladon, greffière du juge d'instruction, à pénétrer dans le cabinet de ce dernier. Victor se sent étonnement assez serein, du fait de l'impression dégagée par cette femme élancée, à l'allure plutôt sportive, apparaissant aussi aimable qu'elle est jolie. Il comprendra par la suite qu'elle apprécie les sportifs et en particulier les cyclistes, et qu'elle sait évidemment qui il est, d'où un petit sourire qui lui est adressé, alors qu'elle est de dos par rapport au magistrat. C'est beaucoup moins le cas du juge d'instruction, qui apparaît alors un peu rondouillard derrière son bureau et qui invite les policiers et Victor à s'asseoir sur les quatre chaises mises en place devant son bureau. Ce juge s'appelle Pierre BOUILLE, âgé de quarante-trois ans, ayant fait des études moyennes se soldant par un Bac D de justesse, avant de s'améliorer lors de ses études supérieures, notamment une licence obtenue à vingt-et-un ans, puis une sortie de l'école supérieure de la magistrature trois années plus tard pour exercer jusqu'en 1994 dans différentes régions et depuis à Evry. Il est donc expérimenté à ce poste. Il signifie son audition à Victor dans le cadre d'une enquête concernant le meurtre de Brice Gallopin dans la soirée du 2 septembre 1998 et une garde à vue signifiée par la police le jeudi 3 septembre au matin. Il lui explique qu'au regard des différents éléments du dossier, il n'était pas légitime de différer cette audience. Sylvie l'interrompt alors :

« Monsieur le juge, peut-on savoir quels sont ces éléments et surtout savoir s'il y a du nouveau par rapport aux éléments connus jusqu'à ma dernière entrevue avec mon client qui date de douze heures trente ce même jour ? »

« Bien sûr, Maître, il s'agit de témoignages, allant d'un voisin de la victime aux proches de votre client, des différents relevés d'empreinte réalisés au domicile de la victime, ainsi que du constat de la disparition d'un ordinateur portable et d'un disque dur de PC, son épouse nous ayant confirmé qu'il ne se séparait jamais de son ordinateur portable et d'un texto envoyé à l'épouse de votre client. »

« Donc rien de bien nouveau, si je comprends bien. Et vous en avez déduit quoi ? »

« Tout doux, Maître, j'ai quelques questions à poser à vote client. M. Larcher, pouvez-vous me dire ce que vous avez fait le mercredi 2 septembre à partir de midi ? »

Et Victor de lui répondre, en essayant de ne pas s'agacer du fait que tout était déjà dans le dossier, puisqu'il expliqua la même chose qu'il avait déjà exposée aux policiers. Le juge rebondit alors :

« Vous maintenez ne pas être resté sur place au moins une demi-heure ? »

« Oui, monsieur le Juge, un quart d'heure tout au plus ! »

« Que faites-vous alors du témoignage du voisin de votre ami, M. Gallopin ? »

C'est alors l'avocate qui prend le relais : « Comme j'avais fait la remarque au commissaire général Mourdin, il était nécessaire de s'assurer que le témoin était resté en permanence à son poste d'observation, d'autant que vers vingt-et-une heures la luminosité est moins grande. »

« Avez-vous vérifié cet élément auprès du témoin, monsieur le commissaire général ? »

« Oui, monsieur le juge, et il semble qu'il ne soit pas affirmatif sur ce point. »

« Précisez, monsieur le policier, vous a-t-il garanti être resté sur place de l'arrivée de M. Victor Larcher jusqu'à son départ ? »

« Non, il n'est pas resté au même endroit à partir du moment où il a vu arriver le véhicule de M. Larcher. »

L'avocate de surenchérir : « Ce témoin a bien vu mon client arriver vers vingt heures trente, ce que revendique Victor Larcher, mais son témoignage perd en crédibilité quant à l'heure annoncée par la police pour le départ de mon client. Pourquoi, dans ces conditions, ne pas faire confiance à ce qu'a toujours affirmé mon client ? »

« M. Larcher, les techniciens ont trouvé de nombreuses empreintes vous appartenant dans la maison de votre ami, que ce soit dans le garage, mais aussi dans son bureau, qu'en pensez-vous ? »

« Que c'est l'inverse qui serait plus que surprenant, puisque nous nous voyions assez fréquemment, soit chez lui, soit chez moi et que je ne vais pas chez mes amis en gardant des gants, quelquefois pour approfondir des démarches intéressant notre équipe, d'où ma présence dans le bureau, et d'autres fois pour faire des sorties à vélo, le garage étant pratique pour ranger nos montures. D'ailleurs, vous trouverez certainement ses empreintes dans ma maison de la même manière ! »

« Soit, mais pourquoi trouve-t-on des empreintes de votre épouse dans la chambre de votre ami ? »

« C'est à elle qu'il faut poser la question, encore que je vous rappelle qu'elle a conçu sa maison et que la chambre de mon ami est aussi celle de son épouse, avec laquelle ma femme est amie. »

« Je constate que vous avez réponse à tout, M. Larcher. »

L'avocate prend le relais : « Mon client est en capacité de vous éclairer sur ce qu'il sait et n'a rien à cacher, bien au contraire, souhaitant lui aussi qu'on avance vers la vérité et qu'on trouve qui a fait çà et pourquoi. »

« Tout doux, Maître, votre client aurait au moins une raison, si on se réfère au texto envoyé par la victime à l'épouse du mis en cause ! »

« Comme vous y allez, monsieur le Juge, on passe de gardé à vue à mis en cause, alors que nous venons d'apporter des éclairages pour le moins et des interrogations qui pourraient vous permettre de laisser plus de temps à l'enquête initiée depuis moins de quarante-huit heures. Sur le texto, il faudrait, comme je l'avais demandé à la police, vérifier si le texto a été envoyé et surtout s'il a été reçu. »

« Qu'en est-il, messieurs les policiers ? »

« Ces éléments n'ont pas été encore vérifiés », bredouille le jeune capitaine.

Le juge marque un temps d'hésitation, le dossier déjà peu épais étant en train de se vider assez vite, puis il pose une énième question : « Que pensez-vous de la disparition de l'ordinateur portable de votre ami, ainsi que du disque dur de son PC ? »

« Je suis au moins, sinon plus, autant surpris que vous, puisque Brice ne s'en séparait jamais, et après réflexion, je pense que j'ai été piégé. »

Tout le monde reste un eu interloqué par cette sortie, si ce n'est Sylvie qui l'interrompt : « Mon client sort de plusieurs heures en cellule et il se peut qu'il soit un peu fatigué, voire confus, ce qui explique des propos un tantinet incohérents », puis elle murmure à Victor qu'il fallait lui faire confiance et que ce sujet ne pouvait pas être abordé pour le moment, sans preuve, pouvant même froisser le magistrat, les juges étant souvent exaspérés par la victimisation des personnes mises en cause. Et elle reprend la défense de Victor : « Un témoignage qui ne fait que confirmer les dires de mon client, des empreintes qui ne prouvent rien si ce n'est qu'il participe aisément à la manifestation de la vérité, un texto où rien n'a été vérifié et peut-on savoir si l'autopsie a apporté des éléments de réponse ? »

« Nous ne sommes pas encore en possession du rapport d'autopsie, Maître, mais cela ne saurait tarder. »

« Autrement dit, vous n'avez pas grand-chose dans ce dossier pour continuer à inquiéter mon client, qui, puis-je vous le rappeler, a perdu un ami ! »

Après un léger silence qui ressemblait tout de même à une éternité, le juge s'adresse à Victor par ces mots : « M. Larcher, au regard du faisceau d'indices concordants, je me vois dans l'obligation de vous signifier ce vendredi 4 septembre 1998 à 15 h 35 votre mise en examen et je laisse le soin à votre avocate de vous expliquer la suite qui va être donnée, d'autant que je demande la mise en détention dans l'attente de la décision de la chambre d'accusation et durant l'instruction de l'affaire. »

Sylvie s'emporte quelque peu : « Vous n'êtes pas sérieux, ou alors vous êtes sourd et n'avez pas entendu qu'il n'y a rien dans ce dossier pour mettre en cause mon client, ou c'est que vous avez eu quelques absences et peut-être faut-il faire appel à un médecin, madame… »

« Maître, faut-il que je vous rappelle à l'ordre ? Je vous invite à changer de ton ! »

« Monsieur le juge, vous pouvez tout de même comprendre mon emportement, on est en pleine dérive. Vous pourriez au moins attendre les vérifications restant à faire ainsi que le rapport d'autopsie, au lieu de vous précipiter ! »

« J'ai entendu et ne suis donc pas sourd, mais c'est ma décision, et elle doit s'appliquer »

« Notez, notamment madame la Greffière, que je m'y oppose de la manière la plus forte en mettant en cause la sincérité et la sagacité du juge en charge de l'instruction. J'ai bien compris que vous demandez la mise en détention durant l'instruction. Est-il possible que vous expliquiez votre choix, ou sommes-nous encore dans l'arbitraire de l'ancien régime ? »

« Vous commencez à dépasser les bornes, Maître, et il n'est pas impossible que j'en réfère à votre bâtonnier, mais sinon j'estime qu'il est préférable que monsieur ne puisse s'entendre avec sa femme et même sa fille, ou encore faire pression sur la veuve de la victime. »

« J'espère juste que le juge des libertés ne vous suivra pas ! »

« Madame, messieurs, je vous laisse sortir de mon cabinet », annonce le juge en les raccompagnant vers la sortie.

La greffière sort à son tour, avec un dossier sous le bras, tandis que Victor, accompagnée de Sylvie, est amené par les policiers à un autre endroit du palais de justice. Après une grosse heure d'attente, ils sont invités à entrer dans une pièce, où le juge des libertés confirme à Victor sa mise ne détention.

Sylvie fait valoir son opposition à cette décision et précise qu'elle adressera une demande de libération et/ou d'aménagement de la décision. Elle explique ensuite la procédure à son ami : « À partir de là, tu vas être amené en prison, je vais essayer de demander à ce qu'on aménage ta peine, mais cela ne pourra se faire avant le quatorze septembre. Il va falloir être fort, se battre et trouver ce qui permettra d'inverser les choses. Il est plus que probable qu'il ne soit pas possible à ta femme de te rendre visite, le juge ayant exprimé clairement qu'il ne veut pas que vous puissiez vous mettre d'accord sur une version commune. »

Quelques minutes plus tard, il est récupéré par d'autres fonctionnaires, l'amenant dans un fourgon, où il monte à dix-sept heures trente, pour arriver prendre ses quartiers en maison d'arrêt à Meaux vers dix-huit heures quarante-cinq.

Ce vendredi soir, Victor dort ou essaie de dormir en cellule, mais il se dit qu'il n'a qu'une seule chose à faire : se battre et faire confiance à ses proches.

Chapitre 6
Enquêteur 0 – Avocate 1

Après une nuit passée en prison, le moral n'est pas au beau fixe, devant se faire à cette nouvelle réalité. Il doit prendre sa place, ayant compris grâce à son avocate et amie qu'il allait maintenant devoir se battre sur la longueur, puisque le juge a surtout suivi le positionnement du commissaire Mourdin, qui ne l'a pas à la bonne et qui voit surtout une occasion en or de retrouver grâce au sein de sa hiérarchie. Et du temps, il va en disposer, n'ayant que peu de choses à faire que réfléchir à sa situation, aux détails nécessaires à sa défense, voire à sa contre-attaque, même s'il fallait penser aussi à s'entretenir sur le plan physique. De son côté, l'avocate avait fait rapidement une demande de visite au nom de ses parents, puisqu'il était impossible d'être en contact avec son épouse, du fait de la décision du juge. Elle avait dû être très convaincante, puisque la réponse positive était survenue dès le lundi 7 septembre, ce qui permet à ses parents de lui rendre visite dès ce lundi. De plus, ses parents résident encore dans la région parisienne, puisque son père n'est pas encore en cessation d'activité. Il lui restait quelques mois au sein de la direction opérationnelle du groupe Michelin, alors que son épouse était déjà à la retraite, du fait du statut de fonctionnaire. En effet, elle avait commencé au ministère des Affaires européennes, avant d'aller au secteur de la coopération, dépendant de celui des affaires étrangères en 1983, puis être détachée à la Commission européenne de 1985 à 1989, avant d'être attachée à l'ambassade de France en Allemagne et revenir au quai d'Orsay au sein du cabinet du ministre en 1992 et prétendre à une retraite bien méritée en 1995. Ces années au service de l'État lui auront alors permis de rencontrer des personnalités importantes, de Simone Veil à Alain Juppé en passant par Roland Dumas, Helmut Kohl, Jacques Delors ou encore Édith Cresson. Le fait d'être encore à Paris était alors une aubaine, de manière à pouvoir soutenir leur enfant, même s'il était grand et qu'il avait toujours très bien géré ses affaires jusque-là, mais en étant confronté à une épreuve pareille, tout soutien serait évidemment le bienvenu. D'autant qu'il ne pouvait pas avoir directement celui de son épouse, qu'il serait privé, en espérant le moins possible, des contacts avec sa fille, mais aussi que son entourage professionnel n'était pas vraiment du meilleur soutien.

Il est quinze heures, lorsque ses parents se présentent à la maison d'arrêt de Meaux, passent les différents sas de sécurité et finissent par voir leur fils dix minutes plus tard, leur dernière rencontre datant de plus de deux semaines, soit après la fin du tour d'Espagne. Ils l'embrassent, évidemment sous la surveillance d'un agent de la pénitentiaire et lui disent à quel point ils sont désolés de le voir dans cet endroit, alors qu'il a toujours eu un comportement respectueux des autres et de fait des lois. Il leur dit alors : « Cela semble ne pas toujours être une garantie suffisante, mais je sais que si vous êtes à mes côtés, je vais pouvoir tenir le coup ! Et en espérant que cela ne dure pas trop longtemps ! »

« C'est ce qu'on souhaite aussi. »

« Vu que je ne peux pas voir Marine, vous savez si elle va bien ? »

« Oui, on l'a vu hier, et elle va plutôt bien, et de toute façon elle est combative. Tu sais comment on peut lui faire confiance dans l'adversité ! »

« Oui, je sais et je ne m'inquiète pas de çà, mais de savoir si elle peut tout gérer, d'autant plus que la presse commence à s'en mêler. »

« Oui, c'est OK de ce côté, mais on peut peut-être l'aider nous aussi », surenchérit alors son père.

« Non, j'ai besoin de vous pour me soutenir par votre présence, par votre bonne énergie, comme des parents vis-à-vis de leur enfant, mais pas sur le fond du dossier. Pour cela, je peux avoir toute confiance en Sylvie, puisque c'est une avocate douée et une amie dévouée ».

« C'est vrai que c'est la meilleure amie de Marine et qu'elle vous doit beaucoup », dit alors sa mère, quoiqu'un peu confuse d'en parler en ses termes. Elle fait notamment allusion à un passé de moins de dix années. En effet, les deux amies d'enfance étaient tellement proches qu'il était apparu naturel que Sylvie soit témoin du mariage de Victor avec Marine, ce qui n'avait fait que renforcer des liens, y compris avec Victor, Sylvie et lui avaient trouvé beaucoup de points de convergence dans leur vision de la vie. Tout naturellement, le couple Larcher était devenu les parrain et marraine du fils de Sylvie. Après, il y eut des tumultes dans le couple de Sylvie, allant jusqu'au divorce en 1993, où elle retrouva son nom de jeune fille, qu'elle n'avait jamais quitté sur le plan professionnel. Durant cette période compliquée, et même dans les deux années qui suivirent, Sylvie avait pu trouver beaucoup de réconfort auprès d'eux, y compris de la part de Victor. Il reprend alors le fil de la discussion :

« Sylvie s'occupe du dossier, je sais qu'elle attend le rapport d'autopsie et qu'elle devrait faire une demande de libération dans le délai imparti, mais en attendant, elle vous a obtenu un droit de visite et cela m'aidera à faire face à cette situation compliquée ». Et sa mère d'ajouter :

« Ce que tu ne sais pas, c'est que ta femme et ton avocate se verront assez régulièrement pour faire le point, ce qui te permettra d'avoir des nouvelles de ton épouse par ton avocate, et que nous pourrons de donner des nouvelles de ta fille, puisque nous l'avons avec nous le week-end, mais que nous nous installons chez toi, de manière à soulager ta femme. »

« Vous ne pouvez pas savoir à quel point cela me rassure de vous sentir tous aller dans le même sens. »

La rencontre s'interrompt alors, le gardien donnant le signe de l'arrêt. Ils se donnent alors rendez-vous pour une prochaine fois, sachant qu'au final il y en aura huit autres, soit avec les deux parents en même temps les 12 et 26 septembre, soit ne pouvant concerner que sa mère les 10, 16, 18, 21 septembre et le 2 octobre, auxquels il fallait ajouter le 24 septembre où son père s'est débrouillé pour venir sur du temps personnel en pleine semaine. Il s'était senti soutenu plus qu'il n'aurait pu le présumer, d'autant que sa manière d'être traité par les médias n'était pas des plus agréables, alors qu'il en était tout autrement dans la prison. En effet, les gardiens comme la grande majorité des prisonniers étaient admiratifs de ce champion, et ils avaient clairement pris son parti. Quelques prisonniers avaient eu la tentation de le mettre à l'amende, comme cela se fait souvent avec les nouveaux arrivants, mais mal leur en avait pris, puisqu'un front uni de prisonniers d'origines très différentes se souda autour de notre champion. Cela n'assurait pas sa liberté, mais le fait que son intégrité ne soit pas menacée avait de quoi le rasséréner.

Champion il avait été, et champion il était encore, d'où son histoire traitée nécessairement dans les médias. Ce furent les rédactions des radios qui en parlèrent en premier lieu dès le samedi 5 septembre, d'abord de manière très neutre, le relais étant pris par la télévision, l'info montant en pression à la sortie du week-end, la teneur étant quelque peu différente, avec une tendance à dresser un portrait d'abord en demi-teinte, profitant peut-être de la baisse des performances du champion et voulant régler des comptes avec lui, Victor ayant pu être considéré comme arrogant au plus fort de son apogée et de sa réussite sportive, ne voulant jamais accepter aucun compromis et tenant des propos toujours acerbes sur la tentation du dopage, quel qu'il soit, affirmant même qu'il fallait peut-être se faire à l'idée que sans dopage il y aurait moins de spectacles et moins d'attrait pour le public et de fait pour certains journalistes. Petit à petit le ton se modifiait pour induire que le passé de champion ne pouvait garantir que l'homme pouvait avoir plusieurs facettes et un côté obscur, laissant alors à penser que ce qui lui était reproché pouvait être crédible. À la fin de la semaine du 7 au 13 septembre, on avait des coureurs lui étant restés fidèles, notamment ses coéquipiers, anciens comme actuels, mais aussi Laurent Fignon, Florian ROUSEAU, cycliste sur piste champion olympique qu'il avait croisé à l'INSEP, mais aussi les rugbymen Philippe Sella, Eric Bonneval et Eric Champ ou encore Thierry VIGNERON, perchiste également champion olympique, mais aussi des concurrents directs qui en profitaient pour tirer à boulets rouges, tel le leader mondial en la personne d'Elvis Monroe. La pression était si forte qu'on s'attendait à une réaction de l'Union Cyclisme Internationale, à défaut de la Fédération Française de Cyclisme, afin d'essayer de remettre de l'ordre au niveau des instances sportives, laissant faire alors la justice. C'est le lundi 14 septembre que s'exprima Lucien Wallon, président de la Fédération Française de Cyclisme. Lucien était né cinquante-huit années auparavant, avait été un amateur de très bon niveau, avant de passer professionnel de 1965 à 1968 et de se recycler dans la vente de matériel de bricolage, ce qui ne l'empêcha pas de trouver une place conséquente au sein de la Fédération, en particulier à partir de 1985 et enfin à sa présidence en 1993. Il était assez populaire, plutôt bonhomme et assez proche de la condition des coureurs, ceux-ci l'appréciant plutôt en retour. Son intervention était attendue et elle entraîna quelques conséquences. Son manque de soutien direct à Victor, son discours volontairement très neutre vis-à-vis de l'instance judiciaire, tout en laissant à penser qu'il ne pouvait y avoir de fumée sans feu, ne pouvait manquer d'aggraver la situation, les camps entre partisans et détracteurs étant alors consolidés, alors même que la justice n'en était qu'au début du travail d'investigations plus poussées. Les médias ne faisaient alors que multiplier les reportages sur le sujet, sans en savoir pour autant plus, mais contribuant à rendre plus compliqué la gestion sereine du dossier. Heureusement que Victor avait l'habitude des outrances des médias, ce qui lui permettait de prendre suffisamment de recul, même s'il fallait avoir quelques discussions au sortir de cette histoire, comme avec certains coureurs mais aussi avec le président de la Fédé, qu'il pensait pouvoir compter comme ami, sans oublier de remercier ceux qui lui avaient apporté un soutien indéfectible. Pour autant, la campagne médiatique, de plus en plus inconsidérée, pouvait lui coûter cher, puisqu'en parallèle des démarches de son avocate. Avait-elle pesé contre lui lors de la demande de remise en liberté, et continuerait-elle de lui être défavorable ?

Ce qui était sûr, c'est que la presse, notamment spécialisée, mais surtout la défiance affichée très nettement par une partie des acteurs de son sport ne l'incitait qu'à renforcer son impression que sa situation d'alors, mais aussi, et surtout le meurtre de son ami était intimement lié à de la tricherie dans le sport, et en particulier dans le vélo et qu'il allait devoir le prouver !

Comme si rien ne devait arriver par hasard, l'évolution de la fin de saison avait de quoi le faire réfléchir. Si les deux jeunes coureurs qu'il avait pris sous son aile progressaient fortement, il n'en était pas de même avec le leader de son équipe, contrairement au coureur américain, leader mondial sortant. Elvis Monroe avait dominé l'édition de Paris-Nice, ainsi que le Dauphiné Libéré et le Tour de France, en gagnant trois étapes, mais finissant seulement troisième de la Vuelta, semblant marquer un peu le pas. Laurent Douaneau, la jeune pousse plus que prometteuse affichait trois victoires d'étape dans le Giro, 2 victoires en Contre-la-montre dans le Dauphiné libéré et le Tour de Suisse, mais aussi 3 victoires d'étape, dont un contre-la-montre dans la Vuelta, ce qui devait lui permettre de finir dans les dix meilleurs mondiaux. Fabrice Dufnac, déjà en progression, avait été vainqueur de Paris-Roubaix, troisième de la flèche wallonne, et vainqueur de deux étapes en baroudeur dans le Tour de France et dans la Vuelta, sans oublier le titre de champion de France. Pour le leader de l'équipe, Wolfgang Cheskowic, deuxième mondial en 1997, il ne finissait que quatrième de Paris-Nice, ainsi que du Giro, troisième du Dauphiné Libéré, deuxième du Tour de Suisse, meilleur résultat de cette année, puisque seulement sixième du Tour de France, malgré une victoire d'étape, alors qu'il le remportait en 1997, ou encore cinquième de la Vuelta, le faisant rétrograder nettement au classement mondial. Il est encore en détention, lorsque se tient le Championnat du monde, soit le 27 septembre, qui voit la résurrection de son leader polonais, celui-ci ne lui ayant même pas apporté le moindre soutien personnel, mais aussi le retour au premier plan d'Elvis Monroe, alors troisième, ce dernier trouvant même le moyen de s'imposer dans le Tour de Lombardie, ce qui finit de lui assurer la place de leader mondial, tandis que Wolfgang arrive à accrocher la quatrième place internationale, sauvant en quelque sorte sa saison par le titre de champion du monde, de plus sur un terrain qui aurait pu profiter à notre champion, alors en cellule. Si les jeunes progressaient, ce qui ne pouvait que le ravir, il trouvait de fait un peu suspect le retour en grâce des deux leaders mondiaux, d'autant qu'ils avaient participé à de nombreuses épreuves. S'il se réfère aux doutes de son ami, il est légitime de s'interroger de la performance d'Elvis Monroe, mais il finit par s'interroger sur la situation de son leader d'équipe, d'autant que celui-ci n'a pas été d'un soutien remarquable à son égard, alors même qu'il peut lui être redevable de son évolution favorable depuis le début des années 1990 ! Cela fait alors trois semaines qu'il est en prison et il ne s'agit pas de signes très positifs qui lui sont alors envoyés.

Heureusement que son avocate obtient quelques résultats significatifs, ce qui lui permet de rester positif. Pour autant, cela avait plutôt mal commencé, pas seulement parce qu'il s'était retrouvé en cellule, mais parce qu'il y était resté plus longtemps que potentiellement attendu. Son avocate avait succédé à ses parents le lundi 7 septembre pour faire le point sur sa situation.

Elle avait reçu deux rapports intéressants qu'il lui fallait exploiter au mieux ; celui de l'autopsie et celui de la police technique et scientifique, qui lui ont été communiqués dès le début d'après-midi, et les ayant parcourus rapidement, il lui semblait qu'il y avait des points intéressants, mais elle se garda d'aller plus loin en présence de Victor pour ne pas lui faire espérer trop vite les choses. Elle se contentait de la rassurer sur l'état de forme de son épouse et lui confirmait qu'elles se verraient le plus souvent possible pour lui apporter le soutien moral auquel elle avait droit. Elle est revenue le voir le vendredi 11 septembre, histoire de lui expliquer qu'il y avait bien des points plus qu'intéressants dans les rapports qu'elle avait pu étudiés, celui intéressant l'étude approfondie du lieu du meurtre nécessitant d'aller plus loin avec son épouse, notamment parce qu'elle connaît parfaitement bien la maison, l'ayant dessinée. Elle lui confie que plusieurs points positifs sont propices à demander une libération anticipée à compter du 14 septembre. Elle demandait alors à Victor : « Tu me confirmes que tu n'es pas un adepte du port de gants pour rencontrer tes amis ou proches, y compris en début septembre, alors qu'il fait encore bon au niveau de la météo ? »

« Non, les seuls gants que je porte, mis à part s'il fait très froid ou aux sports d'hiver, sont les mitaines sur le vélo ! Pourquoi cette question ? »

« Simple formalité liée au rapport d'autopsie ! », lui répond-elle alors, sans plus lui en dire.

Elle demanda donc la libération anticipée le lundi 14 septembre, arguant d'une part que l'autopsie démontrait des incohérences, mais aussi que le rapport de la PTS était aussi porteur de zones floues, devant bénéficier à son client, mais surtout que l'étude de la téléphonie avait montré que le fameux texto n'avait pas été envoyé, et encore moins reçu par la femme de son client. Le juge, toujours prompt à défendre l'institution judiciaire, même quand elle se trompe manifestement, se donna du temps pour apprécier la situation du mis en examen au regard des deux premiers rapports, ce qui se traduisait par le maintien en détention provisoire. Pour autant, l'examen de la téléphonie faisant sauter, d'une part le premier mobile le plus apparent, mais d'autre part une potentielle implication de son épouse, le juge autorisait celle-ci à pouvoir entrer à nouveau en contact avec Victor. Sylvie vint annoncer en personne la nouvelle, mi-positive, mi-négative, à l'intéressé, tout en l'assurant qu'elle allait redoubler d'efforts pour obtenir gain de cause, ne s'interdisant pas une conférence de presse pour y arriver. C'est ce qu'elle fit dès le lendemain, puis à nouveau les jours suivants, rendant compte à Victor de ses efforts le vendredi 18 septembre, puis à nouveau le vendredi 25 septembre, évoquant précisément la possibilité de convoquer une conférence de presse, ce à quoi Victor finit par consentir, alors qu'il ne voulait pas durcir la situation dans un premier temps. C'est le jeudi 1er octobre qu'elle finit par faire sa dernière demande, convaincue que cela serait la bonne, puisqu'elle avait alors introduit la possibilité réelle d'aller au-devant des médias. Entre temps, Victor avait revu son épouse le mercredi 16 septembre, en même temps que sa mère. Il était ravi, non de rester en prison, où cela ne se passait pas trop mal, du moins pas aussi mal qu'il ne l'eut craint, mais bien parce qu'il pouvait revoir sa femme. Il se rappelle que la dernière fois remontait au jour où ils avaient été cueillis au saut du lit, soit le jeudi 3 septembre, soit presque deux semaines, bref une éternité. Ils se prirent dans les bras, puis s'embrassèrent, laissant peu de place à la pudeur, tant la joie était immense de part et d'autre de se retrouver. Ils échangèrent des appréciations positives sur les choses de la vie récentes. Victor demandait des nouvelles de Perrine, mais refusant sèchement qu'elle soit amenée à le voir en prison, d'abord parce qu'il voulait la préserver de ce monde carcéral, alors qu'elle avait à peine onze ans, et d'autre part parce qu'il était convaincu que sa détention ne durerait pas longtemps. Sa femme a essayé de venir le plus souvent possible, ce qui n'était pas toujours très simple, confronté à ses obligations professionnelles d'une part et aux aléas judiciaires et le temps des autorisations. Elle put surtout le rencontrer à nouveau les samedis 19 et 26 septembre, pour cette fois-là en même temps que les parents de Victor, la dernière fois qu'elle ait eu à venir étant le vendredi 2 octobre. Tout simplement, parce que le lundi 5 octobre voyait son mari être enfin libéré.

Qu'y avait-il donc dans les rapports pour que son avocate ait pu à ce point impressionner le juge, et de fait toute l'institution judiciaire, à l'évocation d'une conférence de presse ? Il faut se rappeler qu'il y avait déjà eu une conférence de presse, où s'était exprimé le président de la Fédé, et qu'il était envisageable qu'une seconde fasse recette, tant la presse semblait intéressée, c'est le moins qu'on puisse en dire, par cette affaire !

D'abord, il y avait le rapport d'autopsie. Celui-ci permettait d'affirmer la mort par étouffement, ce qui peut caractériser l'homicide, alors même qu'il y avait une trace de choc à l'arrière de la tête, semblant être antérieur à l'étouffement, pouvant aussi causer la mort, ce qui confirme encore la notion d'homicide. Il y est ajouté qu'il n'y avait aucune empreinte sur la gorge de la victime, alors qu'il y avait bien des traces de strangulation, d'où la question du port de gants habituel ou non de Victor au début septembre. Ce sont les premiers éléments du dossier laissant à penser que Victor avait toujours dit la vérité et que la police avait été un peu rapide dans ses conclusions. Il y avait ensuite, le rapport de la PTS qui mettait en avant, outre la présence d'empreinte des époux Larcher, un désordre dans la pièce où avait été retrouvé Brice, mais ce désordre, pouvant être dû à une bousculade, apparaissait comme plutôt ordonnée, comme si la scène de crime avait fait l'objet d'une mise en scène, ce qui ne colle alors plus avec le mobile évoqué depuis le départ. Était mentionnée autant dans le rapport d'autopsie que de la PTS la présence de fibres de couverture autour et dans les plaies trouvées sur la victime, sans que personne n'ait alors d'explication sur cette observation. Enfin, et c'était sûrement le plus important, les traces de pneus retrouvées à la place indiquée par le témoin ne correspondaient à aucun véhicule connu des différents personnages identifiés comme pouvant venir rendre visite à Brice Gallopin. Ce dernier point ne faisait qu'invalider la fiabilité de la totalité du témoignage du voisin et aller dans le sens des déclarations de Victor. Le seul à tenir un discours convergent avec les éléments factuels était bien le mis en examen. Il appartenait alors à l'autorité judiciaire de lever la mise en détention, maintenant Victor en privation de liberté par une mesure de maintien à domicile. Peu importe, le juge avait voulu sauvegarder les apparences, mais il s'agissait pour autant d'un discrédit apporté à l'enquête du commissaire Mourdin. Ce dernier n'appréciait pas plus que cela le champion cycliste, mais il avait maintenant une vraie raison d'avoir une dent contre lui, contrairement à son adjoint, Bruno Maupuis, qui trouvait le moment satisfaisant, et c'est d'ailleurs lui qui sera l'enquêteur plus en lien avec le juge d'instruction.

Quoi qu'il en soit, Victor goûtait à nouveau à l'air pur de l'extérieur de la prison le lundi 5 octobre à 12 heures 30, accueilli par ses parents, son épouse, son avocate et le soir c'était au tour de sa fille de le revoir, ainsi que l'épouse de Brice, Muriel, persuadée de son innocence.

Chapitre 7
Des montagnes russes émotionnelles

Victor est libre, du moins plus en prison et il est conscient qu'il va falloir continuer à se battre pour faire éclater la vérité. Vu qu'il avait du temps, il se plongeait dans les rapports d'expertise, mais aussi se documentait sur les aspects scientifiques liés à la physiologie de l'effort, ainsi que sur la lutte antidopage, sans oublier les publications assez nombreuses de son ami assassiné. Il est de plus en plus persuadé que sa mort est liée à la lutte antidopage et à ce que son ami pouvait révéler en la matière. Sa femme et son avocate étaient persuadées, au fil que le temps passait, qu'il fallait recourir à la conférence de presse, d'autant que la presse était toujours à l'affût de tout nouvel élément dans ce dossier. Victor réussit à les convaincre de ne pas aller sur ce terrain, trop instable, où il était préférable d'avoir de bonnes cartouches pour viser là où ça fait mal, une bonne fois pour toutes, même s'il faut supporter, en attendant, les suspicions.

De semaine en semaine, les enquêteurs et le commissaire principal Mourdin, étant dorénavant exclus de la procédure, butaient toujours sur les mêmes questions :

• Pourquoi s'être focalisé sur Victor Larcher, d'autant plus depuis qu'on sait qu'il n'y a pas de mobile apparent, le texto n'ayant pas été envoyé à son épouse et en plus toutes ses affirmations sont crédibles et intangibles ?

• Dès lors qu'il y a eu une sorte de manipulation avec le texto, pourquoi ne pas envisager une action volontaire, excluant de fait l'accident, ce qui est corroboré par l'absence d'empreintes sur la gorge du défunt ?

• Pourquoi ne pas imaginer que non seulement le meurtre soit prémédité, mais aussi de faire tomber Victor Larcher dans un piège ?

• Quel est le mobile du meurtre et autrement dit à qui profite le crime, ce qui peut revenir aussi à se poser la question autour de la disparition de l'ordinateur portable et du disque dur du PC du médecin ?

• Les rapports ayant tendance à démontrer une certaine méthodologie, comment peut-on imaginer le mode opératoire, y compris en imaginant plus d'une personne concernée ?

• En lien avec le mode opératoire, peut-on imaginer que les fibres de couverture retrouvées autour et dans une plaie soient la clé de l'énigme ?

• Le mobile étant un point important et le champion cycliste pouvant avoir été visé lui aussi, pourquoi ne pas l'interroger, plus comme un témoin que comme un suspect ?

De son côté, Victor pouvait se poser à peu près les mêmes questions. Pour la dernière question, il se trouve que le juge Pierre Bouille ne validait pas cette approche, tenant à garder Victor Larcher comme potentiel suspect, d'où le refus de l'approcher pour qu'il collabore avec la police. Cette attitude du magistrat, quelque peu buté, ne facilitait pas l'enquête, qui ne pouvait que s'éterniser, au grand désespoir de Victor, mais surtout de l'épouse de Brice. Au rythme où se déroulait lamentablement cette enquête, il fallait le recours de Peter Falk, alias l'inspecteur Columbo, pour résoudre l'énigme. D'autant que Bruno Maupuis adorait la série.

Pendant que l'enquête plafonnait, il était nécessaire d'avancer pour Victor par rapport à son équipe de cyclisme, même si la mesure de maintien à domicile ne lui facilitait pas la tâche. Son arrêt forcé lui avait interdit de participer aux championnats du monde ou au tour de Lombardie, où il aurait pu marquer des points, ne finissant qu'à la quinzième place, le leader de son équipe finissant quatrième, devancé à la deuxième place par Fabrice Dufnac, l'autre jeune arrivant en huitième position. Son équipe était à n'en pas douter la plus forte, mais pas la mieux dotée sur le plan de la trésorerie. Les résultats de fin d'année amenaient beaucoup d'interrogation sur la forme revenue pour certains, y compris pour le leader polonais de son équipe. En général, les mouvements entre les équipes se géraient largement en amont de la fin d'année, ce qui facilitait l'organisation à l'intersaison. L'activité autour du meurtre d'un médecin d'une équipe et la mise en cause d'un coureur, avec un palmarès impressionnant, avaient rebattu les cartes, notamment côté financement, ce qui pouvait se traduire par une tentation de certains coureurs d'aller vers d'autres horizons, même si la plupart des coureurs voulaient rester fidèles au champion alors mis en cause. La situation était d'autant plus compliquée que l'organisation du cyclisme se trouvait alors défaillante. Si Victor avait souhaité ne pas recourir à une conférence de presse, cela avait comme fâcheuse conséquence de ne pas assez clarifier la situation, même si cela se voulait être une solution pour éviter d'envenimer le climat au sein de son sport. Une tension croissante se faisait jour à compter de la fin du mois d'octobre, la presse se chargeant d'alimenter le feu qui couvait, d'autant plus facilement que les responsables du cyclisme n'étaient pas très inspirés. Des journalistes, autant de presse écrite qu'audiovisuelle, étaient prêts à relancer la problématique du fait divers non résolu, parfois en étant peu délicat et même outrancier vis-à-vis de la victime, mais aussi indélicat avec la présomption d'innocence quant à Victor Larcher. D'autres, plus particulièrement spécialistes du cyclisme, du sport en général, se gaussaient sur fond de lutte antidopage, aidés en cela par l'institution judiciaire. En effet, l'enquête ne progressant pas, le juge d'instruction avait décidé de convoquer à nouveau le champion cycliste. Ce dernier espérait que le magistrat allait revenir à de meilleurs sentiments à son égard, reconnaissant s'être égaré et chercher la vérité avec une autre trajectoire. Il doit se rentre vite à l'évidence que rien ne se passe comme espéré. Après les échanges de courtoisie d'usage, le juge s'adresse ainsi au champion :

« M. Larcher, avez-vous des déclarations qui pourraient éclairer la justice et faire progresser la recherche de vérité ? »

« Monsieur le juge, que voulez-vous que je vous dise que je n'ai pas déjà dit ? »

Son avocate renchérit : « Mon client a toujours été dans la collaboration et ses réponses ont été constantes, tout simplement parce qu'il a toujours dit la vérité. Les éléments précisés dans les rapports techniques ont bien montré qu'on est plutôt dans un crime bien organisé, au point que vous êtes dans une forme d'impasse. Cette impasse était due à l'entêtement du chef d'enquête au départ, mais vous prenez le risque de vous enfermer également vers cette fausse piste. Au regard des éléments du dossier, je fais pour mon client la demande de l'abandon de toutes charges à son encontre, ce qui vous permettra d'aller dans une autre direction. »

« Pas de précipitation, Maître, ces éléments m'ont permis de lever la détention provisoire en maison d'arrêt, ainsi que de changer de chef d'enquête, mais je pense qu'il est utile de s'appuyer sur toutes les possibilités offertes, la culpabilité éventuelle de votre client n'étant toujours pas complètement exclue. Et par ailleurs, qui vous dit que nous n'explorons pas d'autres pistes ? »

« Si c'est le cas, cela regarde en premier lieu la veuve de la victime, mais étant en contact avec elle, puisqu'elle ne croit aucunement à l'implication de mon client, elle ne nous a pas relayé que l'enquête avance vers d'autres pistes. »

« Ce qui ne veut pas dire que ce n'est pas le cas », précise alors le juge, pour autant plutôt mal à l'aise.

« Dois-je comprendre que vous continuez à considérer mon client comme possible auteur de ce crime, sans mobile, avec un savoir-faire digne des voyous professionnels ? Ce qui serait dommage, c'est de continuer à perdre du temps, de lui en faire perdre au niveau de son activité professionnelle, d'autant que son équipe est sous tension et que cela sert sûrement les intérêts de ceux qui ont eu besoin de supprimer M. Gallopin ! »

« Que voulez-vous dire par là, Maître ? »

« Tout simplement que les soupçons que vous continuez à laisser planer sur mon client font que des sponsors importants se méfient, que des coureurs, même fidèles, s'interrogent sur le fait de continuer avec lui et qu'en plus son manque de liberté de mouvement est un sérieux handicap pour gérer l'intersaison, de façon à préparer au mieux la saison suivante, le domicile de mon client n'étant pas le siège social de son équipe, dont il n'est même pas le leader. »

« Maître, je faisais surtout allusion à vos propos sur des intérêts d'autres parties que moi-même je ne connais pas ! »

Victor sent alors le piège et ne veut pas trop dévoiler par rapport au dopage et intervient : « C'est bien le problème évoqué : la compétition cycliste a ses codes, entre sponsors, intérêts des coureurs, mais aussi des médias, ce qui fait qu'il faut être vigilant sur tous les points concourant à la composition d'une équipe et il ne vous échappera pas qu'il nous faut aussi retrouver un médecin digne de confiance pour préserver la santé des coureurs. »

« Feriez-vous allusion à la lutte antidopage ? »

« Pas spécialement, mais c'est vous qui en parlez ! J'insiste sur le fait que les semaines qui viennent sont cruciales pour quelques coureurs auxquels je suis très lié et pour moi-même, n'ayant pas décidé d'interrompre encore ma carrière. Et en ce moment, je suis plus que limité dans mes actions, freinant de fait l'action des dirigeants de l'équipe qui m'emploie. J'ai essayé de gérer quelques points depuis mon domicile, mais tout n'est pas jouable de cette façon. »

Le juge fait la moue et n'est pas dupe de la dérobade, mais lui répond : « J'accède donc à votre demande et lève tout de suite toute limitation de déplacement, si ce n'est le territoire métropolitain. Vous n'avez pas de déplacement professionnel prévu prochainement à l'étranger ? »

« Pas pour le moment, mais ce pourrait être le cas en début d'année, notamment pour des stages de préparation en altitude, soit à la frontière espagnole, voire italienne, mais parfois au Maroc. »

« Alors il faudra faire une demande spécifique à ce moment-là, sauf si nous avons éclairci le mystère qui nous préoccupe d'ici là. Pouvons-nous donc revenir à notre affaire ? »

116

« Merci pour votre décision, et que voulez-vous savoir que je nous aurais pas déjà précisé ? »

« Avez-vous une autre voiture avec laquelle vous avez l'habitude de vous déplacer ? »

« Non, mais la question sous-entend-elle que vous ne vous appuyez plus exclusivement sur le témoignage du voisin ? »

« Évidemment, mais je le prends en compte et j'essaie de voir si vous pourriez être l'auteur des faits, mais sur d'autres bases que celles évoquées jusque-là. »

« Et pourquoi pas changer de piste vers une autre personne, voire plusieurs ? » demande alors l'avocate.

« Votre ami était-il habitué au désordre en temps normal ? »

« Non, du tout, c'était plutôt quelqu'un de méticuleux, voire maniaque et son épouse était du même moule sur cet aspect des choses. Pourquoi ? Cela a-t-il un rapport avec le désordre plutôt ordonné retrouvé sur place, mais qui paraît difficile à réaliser en quelques minutes, c'est bien ça ? »

« Vous me permettrez de ne pas y répondre, mais quand j'aurai besoin d'un auxiliaire, je ne manquerai pas de faire appel à votre sagacité. »

Après quelques échanges pour finir de faire le tour de la question, le juge congédie le champion et son avocate, ces derniers étant plus que satisfaits que Victor retrouve une liberté de mouvement. Ils ont la sensation que le juge est sous pression et qu'il ne pense plus Victor en capacité de perpétrer ce crime, mais il est obligé de le considérer encore officiellement comme suspect potentiel.

Ils ne sont pas loin de la vérité, puisque sitôt Victor et Sylvie arrivés dehors, le juge reçoit une invitation expresse de la part de la procureure, Sophie Bazire. On est là devant l'archétype de la carriériste : même pas trente-quatre ans, surdouée d'abord jusqu'au bac qu'elle obtient à 16 ans, un master à vingt-et-un ans et sortante major de l'école de la magistrature à vingt-quatre ans, devenant substitut du procureur à Marseille pendant quatre années, de même ensuite à Lyon et depuis 1996 comme procureure à Evry. Elle est très à cheval sur les aspects scientifiques et très peu sensible, pour le moins, aux exploits des sportifs et la considération dont ils bénéficient le plus souvent. Elle peut être sensible à ceux qui veulent lutter contre le dopage, puisqu'elle considérera la démarche comme une tricherie, mais ne peut cautionner toute tentative de se dédouaner de ses responsabilités en se référant à la lutte antidopage, et elle n'est pas loin de penser que le champion cycliste que le juge d'instruction voudrait innocenter va dans ce sens et elle n'a pas envie de lui faire ce plaisir. Elle discute pas loin d'un quart d'heure avec Pierre Bouille, celui-ci sortant de son cabinet plutôt désappointé, alors qu'elle est plus que volontaire, convoquant dans la foulée une conférence de presse pour la fin de l'après-midi même, en mettant en avant qu'il s'agit de l'affaire Larcher/Gallopin.

Ce mardi 10 novembre, vers 17 heures, alors que Victor Larcher est à nouveau libre de ses mouvements, il y a les micros et caméras des équipes de médias présents devant la procureure sur le parterre du palais de justice d'Evry. Elle commence pas préciser que Victor Larcher est maintenant libre de ses mouvements, quoique toujours suspect dans l'affaire du meurtre de Brice Gallopin, mais le juge d'instruction a estimé qu'il devait être plus à même de gérer l'intersaison, conscient qu'il ne s'agit pas que de l'avenir du champion, mais de celui d'une équipe cycliste professionnelle, soit plus de trente personnes. La procureure tient à préciser que cette affaire reste primordiale, ce meurtre ayant saisi les esprits, et qu'il lui appartient de s'assurer que la recherche de vérité aboutisse le plus vite possible. Elle insiste sur l'erreur de défense de celui qu'elle considère encore comme le principal suspect, celui-ci essayant d'orienter les enquêteurs vers des pistes fantaisistes, la plus invraisemblable de toutes étant le dopage contre lequel la victime était censée lutter. Quand des journalistes spécialisés l'interpellent en l'informant que le médecin victime était connu pour cette lutte et qu'il revendiquait sa démarche, elle semble agacée et maintient que l'enquête ne peut se diriger vers ce genre de piste, qu'elle continue de juger ubuesque et sans aucun fondement. Chacun pourra se rendre compte par la suite que cette prise de position allait entraîner des conséquences, et pas seulement sur le plan médiatico-judiciaire.

Pas plus tard que le week-end suivant, à l'occasion de l'édition hebdomadaire de « Stade 2 », une longue interview du président de la Fédération Française de Cyclisme ne passe pas inaperçue. Après un petit sujet de lancement, relatant quelques éléments autour du fait divers du début septembre, mais surtout en revenant sur la carrière du champion mis en cause et enfin une partie assez bien fouillée sur le dopage, notamment dans le cyclisme, l'interview est loin d'être anodine et fera date. La première question du journaliste est : « que pensez-vous du champion Victor Larcher ? »

« C'est un personnage hors-norme, qui a fait beaucoup pour notre sport, et même pour le sport en général ; il a commencé par le rugby, où il était très prometteur, est passé au cyclisme et a eu très vite une carrière qui aurait fait des envieux, mais a fait les efforts pour être en capacité de briguer des victoires dans les courses par étapes, devenant le meilleur mondial et détenant un palmarès plus que conséquent »

« Et l'homme qui accompagne le sportif émérite ? »

« Admirable, s'appuyant jusqu'à il y a peu sur des valeurs humaines qu'on voudrait voir plus souvent, mettant un point d'honneur à faire profiter de son expérience aux jeunes coureurs qu'il estime. »

« Et par rapport au dopage ? »

« Je suis persuadé que c'est quelqu'un d'irréprochable, comme l'énorme majorité des coureurs ! »

« Et par rapport à la lutte antidopage ? »

« Je ne crois pas qu'il ne se soit jamais exprimé sur le sujet ! »

« Vous avez dit "il y a peu" pour les valeurs humaines portées par ce champion, vous pouvez préciser ? »

Après un temps de réflexion, comme s'il était gêné, Lucien Wallon finit par préciser : « Je fais allusion à cette fâcheuse tendance récente à être donneur de leçons, alors même qu'il n'est pas connu pour être un spécialiste de la lutte antidopage. »

« Il a tout de même une licence en biologie ! »

« Peut-être, mais si vous être formateur en secourisme, vous n'êtes pas pour autant médecin. Je réaffirme qu'il n'y connaît rien en lutte antidopage, qu'il n'en avait jamais parlé jusqu'à il y a peu et qu'il me semble peu respectueux vis-à-vis du médecin de son équipe de le mêler à une cabale antidopage qui n'a pas le moindre fondement. »

« Brice Gallopin était pourtant son ami et pas qu'un peu ? »

« Eh bien drôle de façon de gérer ses amis ! »

« Allons au fond des choses, vous le croyez coupable ? »

« Je ne suis pas enquêteur, ni juge, mais je me réfère à ce que dit la procureure d'Evry, et il semble qu'elle a de bonnes raisons pour le suspecter ! »

« Sauf qu'il est présumé innocent. »

« Oui, et il faut faire avec…. En tant que président de la FFC, je suis obligé de faire avec les décisions de justice, mais cela me gêne qu'il puisse pour le moment continuer à courir au sein d'une équipe professionnelle. »

« Pour quelle raison ? »

« Cela ne me semble pas être un exemple pour les jeunes coureurs ! »

« Et sinon, par rapport au dopage dans le cyclisme ? »

« Si vous faites référence à votre reportage, il est plutôt intéressant pour ce qui est du passé, mais mon sport est propre et non touché par ce fléau » et c'est sur ces mots qu'il met fin à l'entretien, ce qui permet au journaliste d'insister sur le fait que les propos du président de la FFC visaient essentiellement à décrédibiliser un coureur, jeté en pâture à la presse depuis plusieurs semaines, alors qu'il dit l'apprécier, mais ne souhaite pas parler réellement du dopage lié au vélo.

Il va sans dire que les appels téléphoniques se succèdent au domicile de Victor, lui-même étant un peu déstabilisé par les propos de M. Wallon, mais il ne panique pas et préfère rester dans un positionnement avec du recul, persuadé que cela devrait se tasser. Que se serait-il passé dans les années 2010 avec les réseaux sociaux ?

Il tient pour autant à rappeler et chercher à rencontrer le directeur sportif de son équipe dès le lundi suivant, soit le 16 novembre. Ils se voient pendant une bonne heure au siège parisien de leur équipe, ce point important étant convenu comme un lien entre le champion cycliste et la direction de l'équipe, côté administratif et commercial. Victor était conscient que l'équipe avait été fragilisée, bien malgré lui, et d'autant plus depuis l'intervention croisée de la procureure d'Evry et du président de la FFC. S'il savait la situation était tendue, il n'en avait pas moins confiance en Bernie Pilson, qu'il connaissait depuis plusieurs dizaines d'années, près de huit à neuf années dans le vélo et plus particulièrement depuis près de sept années. Cet Irlandais de Dublin, de cinquante-cinq ans, avait eu une carrière plus que modeste dans le cyclisme étant jeune, mais il faut dire que c'était une période où le cyclisme se déclinait entre Français, Italiens, Espagnols, Belges et Néerlandais, à la rigueur Luxembourgeois et Suisses. Sa carrière professionnelle épousa celle de l'industrie du pneumatique, où il fut amené à croiser le père de Victor, puis sa mère et Victor lui-même, avant d'entrer dans le cyclisme professionnel, la création de l'équipe où se trouve Victor en 1990 lui permettant d'être directeur sportif adjoint, puis directeur sportif de plein droit en 1992, à l'époque où Victor intègre cette équipe. De plus, il a un lien privilégié avec l'actionnaire principal, qui en est le sponsor essentiel. Bernie est proche des coureurs, ce qui plaît à Victor, sur lequel il s'appuie beaucoup. Par ailleurs, il est très porté sur les technologies modernes, plus que Victor, que ce soit pour l'assistance à l'entraînement que pour la communication. Il laisse également pas mal de liberté au staff médical, même si Brice Gallopin aura eu à se plaindre qu'il pouvait être tenté de s'immiscer dans le secret médical. Par ailleurs, il a une relation très spécifique et d'une grande proximité avec le leader de l'équipe Wolfgang Cheskowic, un peu moins avec les jeunes poussins supportés par Victor, mais il a aussi un lien remontant à plusieurs années avec le manager de l'équipe du leader mondial, cette équipe disposant de plus de moyens que la majorité des équipes du circuit professionnel. La discussion commence ainsi :

« Comment vas-tu, es-tu en forme, malgré ton incarcération ? »

« Moralement, c'est OK, sur le plan de la santé aussi et si ta question vise la performance, ça fait seulement à peine une semaine que je peux m'entraîner en extérieur, même si j'ai essayé d'entretenir ma condition physique en prison, et je dois avouer que j'en bave pas mal, mais j'ai plutôt bon espoir de vite récupérer »

« Donc t'es plutôt partant pour la saison prochaine ? »

« Pourquoi pas toi ? Sans blague, j'ai une envie irrésistible de croquer dans les kilomètres en solitaire sur le bitume. »

« Il faut pour autant que la vérité soit faite sur l'affaire du meurtre pour que tu puisses courir à nouveau ! »

« J'en suis conscient ; c'est un peu comme une épée de Damoclès, dont il faut que je me sépare, mais je préfère être positif, n'envisageant que la solution où le crime est résolu dans les semaines qui viennent et que je pourrai me consacrer totalement à l'équipe. »

« Tu peux te douter qu'il peut y avoir des soucis quant au financement ! »

« Oui, j'en ai conscience et raison de plus pour que la solution émerge, ce qui rendra plus simple la relation avec les sponsors. »

« Et si nous n'arrivions pas à reconduire tous les contrats, imagines-tu pouvoir faire un effort financier ? »

« Il faut que j'y réfléchisse, d'abord par principe, puis avec des éléments chiffrés, en imaginant que je ne serai pas le seul concerné ! »

« Merci pour la réponse franche ! Comment imagines-tu la succession de Brice ? »

« Difficilement, mais il va bien falloir avancer. Avec la direction, vous avez pensé à des pistes ?

« Il y a bien l'idée de s'appuyer sur ce médecin italien très connu dans le peloton »

« Celui qui est connu pour potentiellement fournir des produits plus que contestables, et qui plus est n'est pas donné ! »

« Il s'agirait d'un équivalent temps plein moins important que celui de Brice, et j'ai cru comprendre que le directeur commercial l'avait déjà approché. »

« Eh bien cela sera sans moi, puisque je me rappelle que Brice l'avait surnommé le "Dr Mabuse" quand il ne le désignait pas par le sobriquet de "pousse seringue", et pas sûr que certains coureurs ne soient pas en phase avec moi, notre devoir étant de fuir ce qui ressemble de près ou de loin à du dopage ! »

« Donc, tu es bien devenu un chancre du combat antidopage, quitte à faire du mal à notre sport ! »

« C'est cette tricherie qui est néfaste pour le sport en général et le nôtre en particulier et je te rappelle que Brice s'est toujours battu contre ce mensonge. »

« Je n'avais pas idée que tu étais en phase avec lui sur ce point. »

« Nous étions des amis proches, ce qui implique des convergences non négligeables, et sans pouvoir t'en dire plus à ce jour, il faut être plus que méfiant vis-à-vis des enjeux autour de ce fléau et des conséquences sur les vies humaines ». Un temps passe, et Bernie de reprendre : « As-tu une idée pour le médecin à proposer ? »

« Je pense qu'on pourrait s'appuyer sur un partenariat encore plus étroit avec l'INSEP, ce qui apporterait une solution technique plus que satisfaisante, voire une continuité avec ce qui avait été entrepris par Brice et enfin, il est possible que cela puisse être source d'économies. »

« Je ferai remonter la proposition, qui me semble plutôt intéressante et équilibrée. Sinon, as-tu des ambitions particulières pour la saison prochaine ? »

« À titre personnel, j'aimerais m'aligner pour le grand prix de Plouay et surtout prétendre à nouveau remporter le Tour de Lombardie, alors que je compte plus être un capitaine de route pour les plus jeunes. »

« Tu penses à tes deux protégés ? »

« Pas seulement, il y a en effet Fabrice Dufnac, que je veux bien accompagner sur les classiques de début d'année, mais aussi le préparer au mieux pour le Giro, sur lequel il pense s'aligner en plus du tour de France, alors que je pourrai aider plus directement Laurent Douaneau sur le Dauphiné Libéré, le Tour de France et la Vuelta, où je devrais pouvoir m'aligner, partant du principe qu'il sera possible d'aider d'autres jeunes, en plus évidemment que certains progressent en appuyant le leader, Wolfgang visant sûrement Paris-Nice, le Giro, le Dauphiné Libéré et le Tour de France, qu'il compte à nouveau remporter. J'ajoute que quelques coureurs novices coûteront moins cher et sont un pari sur l'avenir, d'autant plus quand j'aurai raccroché, ce qui ne saurait tarder plus que cela ! »

« Tu y as déjà pensé ? »

« Les évènements récents m'y ont obligé, mais rassure-toi, ce n'est pas pour demain, et pas pour 1999, peut-être 2000, mais ça reste à peaufiner. »

L'échange avait été constructif, permettant à Victor d'envisager la fin d'année assez sereinement, l'essentiel étant de redoubler d'efforts pour retrouver une vraie compétitivité dès le début de saison, l'intersaison devant nécessairement être plus courte pour lui. Il lui fallait aussi essayer de rattraper du temps perdu avec son épouse et surtout sa fille.

Pendant les trois semaines, il fallait rouler entre cent et cent cinquante kilomètres, à des allures plus ou moins régulières, mais aussi réserver du temps avec sa fille, allant se promener ou faire du cheval le week-end, voire au cinéma en famille et quelques sorties en amoureux avec Marine. Un programme alléchant, les courses et préparatifs de Noël se présentaient alors, mais il était décidé qu'il ne pourrait rester tranquille ! L'enquêteur en chef plaidait encore sa cause auprès du juge, qui était plutôt réceptif aux différents éléments probants apportés, plus exactement affinés, mais c'était sans compter avec la procureure. Cette dernière, ayant visionné la partie de l'émission « Stade 2 » du 15 novembre, étant alors avisée que les journalistes sportifs tablaient sur une fin de carrière de Victor Larcher, où ce dernier pourrait jouer un rôle dans les classiques ou sur la Vuelta. Intégrant que certaines de ces épreuves impliquaient des sorties du territoire, il lui apparaissait naturel de devoir préciser par communiqué de presse que Victor ne serait autorisé à sortir du territoire que si l'enquête était résolue et qu'il n'y était évidemment pour rien. On comprenait encore dans ses propos qu'elle n'y croyait pas et qu'elle condamnait le champion à modifier ses plans, alors même qu'il devait être considéré comme présumé innocent. Le mardi 8 décembre, Victor voyait débarquer chez lui Bernie, qui lui exposait que rien n'était encore décidé, mais que la question d'une gestion très particulière de sa situation était envisagée, de manière à ne le rémunérer que sur une activité réelle, liée à l'incapacité de sortir du territoire, que ce soit pour des épreuves (classiques ardennaises, Giro, Tour de Suisse, Tour de France passant toujours par un pays frontalier, Vuelta ou encore Tour de Lombardie) ou pour des stages d'entraînement (Andorre,

Suisse, Maroc ou péninsule arabique). Cette annonce, aussi brutale, n'était pas destinée à le rassurer.

Autant dire que les semaines qui suivirent n'ont pas été simples, y compris pendant la période des fêtes de fin d'année. Il a eu beau essayer de laisser paraître le moins possible des débuts d'angoisse, sa femme et sa fille lui faisaient régulièrement la remarque qu'il était ailleurs. Même ses parents le trouvaient distant, sans pouvoir savoir de quoi il retournait. Chacun voulait éviter de parler de l'affaire, mais ils ne pouvaient s'en empêcher et la question remonta, avec tout son lot de questions sur l'enquête, d'interrogations sur la suite qui allait y être donnée, mais sans que quiconque ait idée de ce qui se tramait dans son équipe.

Le début de l'année 1999 se traduisait par quelques tensions au sein du couple, Victor étant sans s'en douter sur le chemin de la dépression et son épouse dans l'incompréhension totale de ce qu'il subissait, d'autant qu'il n'en parlait pas, se réfugiant dans les sorties à vélo, sous prétexte de se refaire une santé, alors qu'il était prévu que le mois de janvier soit celui de la coupure réelle d'intersaison. Alors que les tensions sont de plus en palpables dans la famille Larcher, Victor est de plus en plus sous pression, notamment avec son directeur sportif, qui ne fait que relayer les demandes du sponsor essentiel. Le 13 janvier, il finit par lui confier, alors qu'il s'y refusait jusqu'alors, qu'il était persuadé que le crime touchant Brice était lié à la tricherie et que le cyclisme sera obligatoirement éclaboussé. Il n'imagine pas les répercussions d'une telle annonce, Bernie ne pouvant garder cet élément pour lui. Tout ceci nous amène au mardi 19 janvier, date à laquelle c'est le président de l'UCI (Union Cycliste Internationale), depuis Lausanne, qui fait une déclaration. Cette personne essentielle pour le cyclisme professionnel s'appelle Jan-Peter Casper, né à Anvers cinquante-six années plus tôt, partageant sa jeunesse entre études brillantes l'amenant à être pharmacien et sportif de haut niveau, puisqu'athlète spécialisé en saut en hauteur, aidé par sa morphologie, 1 mètre 92 pour soixante-huit kilos. Il s'intéresse dès 1975 au cyclisme, étant alors dirigeant au sein d'une équipe belge, puis devient membre de la fédération de ce pays en 1979, la présidant dès 1984, intégrant alors l'UCI, qu'il préside depuis 1991, et ce sans partage. Son allocution du jour, en anglais, étant traduite immédiatement par les rédactions des différents médias, est la suivante :

« Notre sport a été secoué il y a quelques mois par une affaire de meurtre, touchant un médecin d'une équipe cycliste et impliquant un champion de la même équipe. L'UCI s'est bien gardée d'intervenir dans ce dossier, puisqu'il ne pouvait en être autrement, la recherche de vérité étant le fait de la justice française et nous n'avons pas à interférer avec elle. L'UCI a été avisé très récemment que le champion mis en cause avait comme ligne de défense de mettre en cause notre sport en le plaçant au centre d'action de tricherie, de dopage. L'UCI, par ma voix, réprouve cette attitude, qui ne peut qu'apporter opprobre et suspicion sur le sport en général et le cyclisme en particulier, ce qui se traduira inévitablement par des troubles au sein des différentes équipes, mais aussi pour l'image de notre sport. De telles allégations ne sauraient être tolérées. Si M. Victor Larcher, puisqu'il s'agit de lui, persiste en ce sens, il sera convoqué par l'UCI pour être entendu et une sanction est envisageable, qui reste à définir, cette sanction pouvant aussi toucher celles et ceux qui le suivraient dans cette issue sans lendemain. Je tiens à rappeler que l'UCI est partie prenante dans la lutte antidopage et qu'il ne saurait être possible de dénigrer une telle organisation, que j'ai l'honneur de présider, par ce type d'affirmation, de plus contraire à la réalité qui nous préoccupe tous les jours. » Puis, il remercie les personnes présentes et opère immédiatement un demi-tour, allant vers son bureau.

Devant ce lynchage en direct, Victor s'effondre en larmes, puis reste prostré toute la journée. Sa fille le retrouve ainsi, sans rien comprendre, au retour du collège, puis c'est au tour de son épouse de trouver un mari éteint, blafard. Elle essaie de le secouer, n'imaginant pas pouvoir continuer de cette façon au quotidien. Il s'effondre dans ses bras, demande à sa fille de venir, puis leur explique assez simplement les tensions auxquelles il est soumis depuis la période avant Noël, et ayant voulu gérer tout cela seul ! Il explique également à quelles conclusions il était arrivé quant au mobile du meurtre de Brice et pourquoi le discours du président de l'UCI lui fait à ce point très mal. Pour autant, il se sent mieux, il avait besoin de crever l'abcès. Le soir même, Sylvie, ses parents et la veuve de Brice sont autour de lui. L'idée n'est pas de s'affairer autour d'un repas entre amis, mais d'expliquer aux proches, dont Muriel, ce dont il retourne, puisque le sujet est maintenant sur la table. Alors que la dépression s'éloigne, que la famille se resserre, les parents de Victor étant plus présents, d'autant que son père a pu faire valoir des congés avant d'être à la retraite, le champion fait enfin sa coupure de préparation physique, mais ne s'attend pas au coup de tonnerre du début de semaine suivante.

En effet, convocation par Bernie le lundi suivant, soit le 25 janvier au siège de l'équipe. Il lui annonce alors :

« Monsieur est content. Monsieur fout son bordel ! »

« Monsieur t'emmerde, si tu le prends comme ça ! »

« Du calme, Vic, je suis avec toi, même si c'est pas toujours des plus simples ! J'ai compris qu'il fallait que tu te défendes.

Est-ce la meilleure façon ? Je n'en sais rien, mais je ne suis pas à ta place. Par contre, j'ai aussi des comptes à rendre en haut lieu. »

« C'est quoi le problème, mis à part que finalement j'ai trouvé le président de l'UCI très agressif, ce qui me laisse à penser qu'il est finalement sur la défensive, ce qui me conforte dans mes conclusions ! »

« Je ne sais pas s'il se défend par anticipation, mais son discours a permis d'éclaircir certains paramètres. Nous avons un salaire et des charges en moins à régler, puisque Wolfgang a fait valoir qu'il quittait l'équipe. »

« Tu me rappelles ce qu'on dit à propos des rats qui quittent le navire ? Et on sait pour quelle équipe ? »

« Non, pas encore, mais on le saura nécessairement assez vite. Par contre, le sponsor s'est très vite préoccupé de ton avenir au sein de l'équipe. »

« C'est-à-dire ? »

« Que tu es sur la sellette, ce qui ferait encore une économie réalisée. Mais j'ai réussi à le convaincre de te garder. D'abord, parce qu'il va être difficile de trouver rapidement un coureur d'expérience, à défaut d'un leader indiscutable, mais l'argument n'a pas fait mouche tout de suite. Ce qui a fait mouche, c'est le contrat de Laurant Douaneau, qui précise qu'il a un contrat renouvelé en 1998 pour deux années, à la condition de pouvoir s'appuyer sur l'aide personnalisée d'un certain Victor Larcher. J'ai compris pourquoi tu me parlais de ne pas arrêter avant 2000. À partir de là, même si pas très empressés de te garder, ta place est encore parmi nous et il va peut-être falloir revoir le calendrier, puisque nous n'aurons plus Wolfgang avec nous. »

« Pour cette raison-là, mais aussi pour les affirmations de la procureure quant à mon autorisation de sortie du territoire »

« Sur ce point, nos experts juridiques sont déjà en train de plancher. Sinon, tu réfléchis, tu échanges avec les gars, mais tu peux aussi imaginer quel type de coureur il nous faudrait en renfort. Une semaine te suffit-elle ? »

« C'est un peu juste, mais ça devrait le faire. Je comprends qu'il ne faille pas traîner. »

« Merci, et en passant, je ne sais pas si cela a une importance, mais nous avons opté pour une convention avec le médecin le plus proche des travaux de Brice au sein de l'INSEP, comme tu l'avais évoqué. Et fait à noter : le désir de partir de Wolfgang n'a pas été le fait de l'annonce du président de l'UCI, mais de l'annonce du choix de la solution médicale, alors que le polonais voulait qu'on se rapproche du médecin italien pressenti par la direction, notre choix datant du début de la semaine dernière. »

« C'est en effet intéressant ! »

Ils se saluent et Victor rentre chez lui, tandis que le directeur sportif rend compte à la direction de l'équipe.

Après des coups de téléphone en nombre, Victor est en capacité de proposer deux ou trois noms de coureurs, capables de renforcer l'équipe et de redéfinir les orientations sportives pour l'année 1999. Après la rencontre du mardi 2 février, les coureurs sont conviés à une réunion pour leur expliquer le fonctionnement de l'équipe pour l'année à venir, celle-ci ayant lieu le vendredi 5 février dans l'après-midi, la matinée étant dédiée à des exercices de reprise d'activité et de bases utiles à l'entraînement et au reconditionnement à l'effort. Puis c'est un nouveau coup de théâtre une semaine plus tard, Fabrice Dufnac informant dans la matinée du 12 février qu'il quittait l'équipe pour rejoindre Wolfgang dans l'équipe, dotée alors du deuxième budget de toutes les équipes et dont le médecin est le fameux médecin italien, suspecté d'avoir des comportements répréhensibles en matière de dopage. Bernie, Laurent et Victor mettent alors les bouchées doubles. Les deux coureurs imaginent ce que pourrait être la saison 1999, après que le troisième a eu confirmation que deux des trois coureurs pressentis seront engagés et que les juristes sont encourageants quant aux sorties du territoire pour le champion encore mis en examen.

Il est acté qu'on ne change pas de stratégie pour les classiques de début d'année et Le tour de Lombardie à la fin de l'année, l'idée restant d'aider Laurent Douaneau, Paris-Nice devenant alors un objectif possible pour le jeune prodige, Wolfgang n'étant plus présent. Pour les courses à étapes, l'absence de leader incontestable incite à être présent dans les trois tours mythiques que sont le Giro, le tour de France et la Vuelta, ainsi que dans le Dauphiné Libéré et le Tour de Suisse, où chacun pourra jouer sa chance, en baroudeur sur les étapes longues ou en montagne, voire en contre-la-montre.

De son côté, le chef d'enquête assume ses missions du quotidien, mais aussi reprend les pièces du dossier du meurtre de Brice Gallopin. Le samedi 27 février, il se détend en visionnant à nouveau une énième rediffusion de l'inspecteur Columbo, quand il reste bouche bée devant la scène de meurtre. Il note fébrilement quelques mots, se replonge dans ses dossiers, ayant des copies à son domicile, même s'il sait que c'est interdit. Il gamberge tout le week-end. Le lundi 1er mars, Bruno Maupuis est présent à l'institut médico-légal, rencontre un des experts avec lequel il s'entend bien et lui confie une mission très spécifique. Le spécialiste lui indique qu'il aura les résultats le mardi, voire le mercredi au plus tard. Le 3 mars, c'est le spécialiste qui se déplace en personne jusqu'au commissariat d'Arpajon. À la communication des résultats, le policier sourit, va tout de suite rédiger une pièce additionnelle au dossier et l'envoie immédiatement au juge d'instruction, lui téléphonant dans la foulée. L'échange est bref, impliquant une rencontre qui aura lieu dès le jeudi 4 mars dans l'après-midi. Ils passent alors l'ensemble des documents au crible de leurs réflexions et arrivent à la même conclusion. Le juge téléphone alors à l'avocate de Victor Larcher pour convenir d'une convocation, si possible rapide, mais sans déranger le planning du champion. Elle se met tout de suite en rapport avec son équipe, et elle sait que c'est possible à compter du 15 mars, Paris-Nice ayant lieu entre le 7 et le 14 mars, d'où l'équipe en préparation intensive au moment de l'appel. Elle en fait part au juge, qui convient avec elle d'une convocation en bonne et due forme le lundi 15 mars à 11 h. Il appelle ensuite la procureure pour la tenir au courant de l'évolution du dossier en lui laissant le soin de communiquer sur le sujet après la rencontre officielle, la magistrate étant plus rodée à cet exercice, auquel le juge ne souhaite pas satisfaire.

À onze heures, voici Victor, son avocate et sa femme, ainsi que Bruno Maupuis dans le cabinet du juge Bouille. Celui-ci invite tout le monde à s'asseoir et se prête au jeu des explications sur le dossier : « Nous en étions restés à l'absence de mobile à votre niveau, d'où les assouplissements de mesures de détention, mais il restait des zones d'ombre dans ce dossier qui remonte maintenant à plus de six mois. Grâce à l'enquêteur en chef, nous venons de faire une avancée significative. En effet, il a demandé à l'institut médico-légal de s'assurer d'une part qu'une couverture d'un certain type pouvait maintenir un corps sans vie à une certaine température, ce qui peut contribuer à modifier la datation de la mort et d'autre part que les fibres retrouvées correspondent à ce type de couverture. Non seulement c'est positif pour le type de couverture, mais les expérimentations réalisées amènent à la conclusion que le meurtre n'a pu être commis qu'avant dix-neuf heures, ce qui vous met définitivement hors de cause. Il nous reste maintenant à approfondir et à repartir sur d'autres pistes, mais je ne peux, ce lundi 15 mars à onze heures et vingt minutes, que vous signifier, de plus avec un réel plaisir, un non-lieu dans cette affaire. Vous êtes donc libre de vos agissements, sans aucune contrainte au regard de la justice, mais vous restez témoin. Pour votre information, je vais également en informer la veuve de votre amie, que je reçois juste après vous. »

Le couple et l'avocate sortent alors du cabinet, croisant Muriel, qui attendait déjà devant le cabinet. Ils se saluent et Victor lui fait signe qu'ils vont l'attendre. Cinq minutes plus tard, elle ressort de son entrevue rapide avec le juge, n'est pas plus avancée quant à l'élucidation du meurtre de son mari, mais rassurée que le meilleur ami de son défunt mari ne soit plus inquiété par la justice. Ce dernier lui assure qu'il reste disponible pour aider la justice, lui aussi ayant besoin de comprendre.

Pendant ce temps, la procureure s'apprête à communiquer aux médias le non-lieu dont bénéficie alors Victor Larcher. Celui-ci ne peut s'empêcher d'esquisser un sourire lorsqu'il voit la scène de loin, ce dont la procureure se rend évidemment compte.

Chapitre 8
Intuition salvatrice

Cette semaine de la mi-mars ne pouvait pas mieux commencer, faisant suite à celle pendant laquelle s'est courue l'édition 1999 de Paris-Nice. Victor a fait ce qu'il a pu pour aider le jeune Douaneau, qui finit par terminer cinquième, juste derrière le leader mondial sortant, ce qui est plutôt bien. Le vieux champion a réussi à glaner sa victoire d'étape, ce qui ne peut que le ravir, vu la perturbation de son entraînement et les six derniers mois écoulés, dont un passage en prison et un moment de dépression. Ce qui le laisse perplexe, c'est la 1ère place glanée par Wolfgang Cheskowic, commençant sa saison comme il l'avait terminé, déjà en soi une surprise, mais le plus stupéfiant était la deuxième place au général de Fabrice Dufnac, alors en avance sur les objectifs visés lorsqu'il était dans son équipe. Par la suite, le duo Victor-Laurent fait quelques étincelles, aidé par le reste de leur équipe, Laurent Douaneau remportant la flèche wallonne et Paris-Roubaix, laissant Elvis Monroe à la deuxième place, ce dernier le battant dans Liège-Bastogne-Liège. Dans le Giro, le leader mondial finit cinquième au général, mais gagne tous les contre-la-montre, Wolfgang Cheskowic grappillant trois victoires d'étape, de même que Victor et Laurent, tout comme Fabrice Dufnac, moins dominateur qu'en tout début de saison. Ce dernier approche très discrètement Victor, n'oubliant pas qu'il lui doit beaucoup et lui confie :

« J'espère que tu ne m'en veux pas trop, à la suite de mon départ de l'équipe ? »

« Pourquoi t'en voudrais-je, chacun étant libre de faire ce qu'il veut, même si j'ai peut-être été un peu surpris, voire désappointé du fait d'un choix à l'époque me semblant judicieux ? »

« Et je t'en serai éternellement reconnaissant »

« Que me vaut cette discussion, aujourd'hui, c'est-à-dire fin mai alors qu'on approche de la fin du Giro, où tu ne brilles pas vraiment, malgré un début d'année en fanfare ? »

« Je voulais t'expliquer pourquoi mon changement d'équipe, mais aussi m'excuser. »

« T'excuser de quoi ? »

« De ne pas avoir facilité le travail au sein de l'équipe et t'avoir sûrement déçu ! »

« On verra avec le temps si la déception est à la hauteur des espoirs mis en toi, mais pour l'équipe, je te confirme que cela aurait pu mieux se passer avec toi, mais il a bien fallu s'adapter. »

« En fait, j'ai paniqué après le discours du président de l'UCI et après que Wolfgang m'a contacté pour changer d'équipe. »

« Pourquoi tu n'as pas pris le temps de venir en parler ? »

« À l'époque, tu n'étais pas toujours libre de tes actes et si facile que ça à approcher, et puis j'ai vraiment paniqué, pensant que ta mise en cause dans le meurtre de Brice allait finir par avoir des répercussions désastreuses sur le fonctionnement de l'équipe, ses performances, donc sur les sponsors et sur mon avenir, d'où la décision d'accompagner le polonais. »

« J'ai besoin de savoir l'impression que tu as eue en arrivant dans cette équipe. »

« Pour tout dire, j'ai été très surpris de constater que tout roulait plutôt bien, avec une logistique adaptée, un encadrement disponible et des moyens à la hauteur d'ambitions conséquentes. »

« Tu sais que c'est le deuxième budget du cyclisme professionnel, juste après l'équipe d'Elvis ? »

« Non, mais maintenant que tu le dis, ça ne m'étonne pas plus que ça. »

« T'as pas été surpris qu'une équipe qui sort de nulle part soit aussi vite efficace ? »

« Oui un peu, mais en y réfléchissant, je pense que beaucoup de choses avaient été préparées bien avant l'arrivée de Wolfgang et de moi-même ! »

« Je pense aussi, et je peux même te confier que je pense que l'arrivée du Polonais était planifiée avant le discours du président de l'UCI. »

« Tu me fais un peu peur et je me demande où j'ai mis les pieds. »

« Dans quelque chose qui ne sent pas nécessairement très bon ! »

« Je peux juste te dire que je n'ai pas apprécié de me retrouver face à face avec le docteur marabout italien trop connu dans le monde du cyclisme, alors que j'avais été habitué à être traité différemment par Brice quant à la préparation physique. »

« Tu peux m'en dire plus ? »

« Les méthodes d'entraînement étaient différentes, nous amenant à nous hydrater de manière plus importante, mais les sensations étaient plus que positives, nous amenant à ce fabuleux doublé au général sur Paris-Nice et c'est à ce moment-là que j'ai eu quelques doutes, mais je ne savais pas à qui m'adresser. »

« Tu te sentais aussi peu en confiance dans ta nouvelle équipe ? »

« C'est exactement çà, et j'ai décidé de préparer moi-même mes préparations liquides, du moins le plus possible et de recourir au maximum aux bidons neutres disponibles sur les motos. »

« T'as réussi à tromper ton monde ? »

« Pas tout à fait : au début, pas de problème, d'autant que les sensations à l'effort me rappelaient les périodes d'entraînement et de compétition quand j'étais supervisé par Brice, mais le problème, c'est que mes résultats n'étaient plus au rendez-vous et que récemment le leader, le directeur sportif et le médecin m'ont interrogé sur mes baisses de performances. »

« Tu en tires quoi comme déductions ? »

« Que je viens d'être confronté au dopage et que cela me déplaît au plus haut point, mais que je ne sais pas comment faire, d'où le fait de te rencontrer. »

« J'en suis extrêmement flatté et cela me confirme que j'avais eu raison d'avoir confiance en toi. Pourras-tu tenir longtemps sans trop évoquer de soupçons, je n'en sais rien ? Peux-tu continuer de la sorte ? À toi de voir ! Mais je suis certain qu'il y a du dopage en effet là-dessous : notre équipe a continué sur les mêmes bases que par le passé et Laurent commence à avoir des résultats dans la lancée de ce qui était programmé par le passé, mais la difficulté rencontrée, mise à part la compétitivité de l'équipe du leader mondial, est la nouveauté avec ton équipe, dans laquelle Wolfgang finit par avoir des résultats plus prometteurs que par le passé, un peu comme ce qu'il s'était passé en fin de saison, alors que Brice avait été tué ! »

« Comment puis-je t'aider ? »

« Pour le moment, en restant discret, et on sait jamais, le moment venu ton témoignage pourrait m'être très utile ! »

Ils se séparent alors, chacun regagnant sa chambre d'hôtel, les laissant chacun à leurs songes. Victor n'a plus aucun doute sur l'existence de dopage dans son sport. Il est acquis qu'il y a au moins une équipe, montée rapidement mais avec des moyens considérables, qui s'appuie sur le dopage, donc sur une tricherie organisée. Cette tricherie est possible grâce au moins à un médecin de réputation discutable, mais aussi avec la complicité de coureurs, dont un d'importance qui était dans son équipe au moment où son ami a été assassiné. De là à imaginer qu'un dispositif mafieux soit en place, ce qui impliquerait des pratiques expéditives, mais aussi un degré non négligeable de corruption. Et s'il y avait plus qu'une équipe, les performances du leader mondial étant toujours apparues comme suspectes, notamment pour son ami. Il se rappelle alors les propos de son ami le 30 août 1998, où il était question de révéler quelque chose d'inouï. Le dopage est présent dans son sport, avec quelle ampleur ? Depuis quand ? Avec quelles personnes mises en jeu ? Cela semble être suffisamment prégnant pour qu'il y ait obligation de recourir au meurtre et à la machination, mais il ne dispose d'aucune preuve, pas plus que la police et la justice, d'où ses problèmes pendant plusieurs mois et n'ayant été levés que quelques semaines auparavant. Cette idée du manque de preuve et que des gens sont à l'abri lui est insupportable et va le tarauder dans les jours qui suivront, encore qu'il sera très occupé avec la fin du Giro le 6 juin, enchaînant sur le critérium du Dauphiné Libéré jusqu'au 13 juin, puis le Tour de Suisse entre le 15 et le 24 juin, le Championnat de France ayant lieu le dimanche 27 juin, avant que le Tour de France ne débute le 3 juillet. Comme lui a été insupportable la situation dans laquelle s'est retrouvée sa fille.

En effet, après la double charge des présidents de la FFC et de l'UCI, auxquelles s'ajoutait la diatribe de la procureure d'Evry, des jeunes collégiens s'en étaient pris à sa fille. D'abord en la moquant de temps à autre, puis tous les jours, avant que n'arrivent les insultes, celles-ci s'estompant après l'annonce du non-lieu, mais le mal était fait : sa fille était moins vivante au collège, offrant une prise plus importante à ses agresseurs, sans que cela n'apparaisse réellement au sein de la famille. Évidemment les résultats scolaires n'étaient plus au rendez-vous, ce qui est alors apparu de manière plus que manifeste dans le bulletin du second trimestre fin mars 1999. Ses parents n'ayant pas été habitués à de tels résultats, un rendez-vous avait été pris avec la professeure principale, auquel étaient présents Victor et Marine, Perrine s'étant défilés assez bizarrement. À l'issue, ils n'avaient pas de réponses définitives sur un début possible d'échec scolaire, mais avec la certitude d'un changement de comportement de leur fille au sein du collège. Les rapports parents-enfant étant naturellement bons, un échange profond, très dans l'écoute et la bienveillance auront permis de connaître la vérité. La réponse fut à la hauteur de l'enjeu : un immense réconfort accordé à leur fille, ce qui fut le début d'une prise de conscience par l'adolescente qu'elle ne pouvait pas être tenue responsable des agissements néfastes de certains de ses collègues, mais aussi un rendez-vous dans l'urgence avec le principal de l'établissement. Lors de cette rencontre, Victor n'y alla pas par quatre chemins, mettant en demeure le responsable d'établissement de réunir un conseil de discipline visant la totalité des jeunes coupables de ces agissements, et dans le cas contraire il y aurait plainte directe auprès de la justice civile contre ces délinquants en herbe, mais aussi visant l'établissement. Le conseil de discipline eut lieu, fit du bruit, les sanctions allant de l'avertissement assorti de sursis à l'exclusion temporaire d'une semaine pour les actions les plus négatives. Et c'est surtout sa fille qui allait de mieux en mieux, les résultats scolaires étant à nouveau au rendez-vous ! Victor était satisfait d'avoir pu gérer sur place ou à distance en lien étroit avec sa femme, selon le calendrier des épreuves cyclistes, cette situation. Il se devait d'y arriver dans le dossier qui le préoccupait toujours de plus en plus, notamment depuis son entretien avec Fabrice Dufnac.

Alors qu'il était sur le vélo, échappé avec plus de cinq minutes d'avance sur le peloton dans l'avant-dernière étape du Dauphiné Libéré, relayant son effort avec six autres concurrents, eux aussi non dangereux pour le classement général, à la fois concentré sur l'effort mais aussi laissant libre place à de la divagation. Alors qu'ils traversaient Bourgoin-Jallieu, il aperçoit l'indication du stade Pierre Rajon. Cela lui évoque la belle équipe de rugby de cette ville, et de fil en aiguille la période de sa vie où ce sport comptait pour lui au plus haut point. Ne devait-il pas être rugbyman de haut niveau ? La joie des troisièmes mi-temps, l'esprit collectif amène à ce paroxysme qu'on remet sa vie entre les mains des quatorze autres joueurs, l'effort ultime des entraînements, l'aboutissement du jeu par le franchissement dans l'embut adverse pour marquer un essai, la dureté des chocs répétés et les corps ruisselant de sueur et de pluie, quand il n'y avait pas la boue ! Et le simple plaisir de la passe bien faite, du jeu avec ou sans ballon. Le ballon ! C'est fou comme le cerveau fonctionne, par déduction, par analyse, par recherche des données mémorisées ou encore par associations. Et celle-là était belle. Il lui fallait en avoir le cœur net. Il est alors à peine à trente-cinq kilomètres de l'arrivée, quand il déclenche une accélération dont il a le secret, crée un écart de quelques secondes avant d'entamer la montée sélective des Eparres. En haut de cette côte, il a amené son écart à trente secondes, puis continue à fournir un effort solitaire digne de sa meilleure époque, puis c'est la montée de La Frette, où il ne faiblit pas, amenant son avance à presque une minute sur ses compagnons d'échappée. Il tourne alors à gauche en direction du grand Lemps, de Colombe, puis c'est Apprieu, La Murette et le haut de Voiron, où est jugée l'arrivée en bas d'une descente, après avoir tourné sur la droite, laissant l'église en face et c'est le franchissement de la ligne en solitaire. Il signe une victoire éclatante, mais personne n'en connaît le fondement ! Il satisfait au passage sur le podium, répond rapidement aux interviews, va au contrôle antidopage, rejoint rapidement l'hôtel, prend sa douche et rejoint le directeur sportif, pour lui demander de ne pas compter sur lui avant demain matin, ayant quelque chose d'urgent à régler. Bernie ne peut rien lui refuser et valide la demande. Il est à peine dix-huit heures trente quand il monte dans le train qui l'amène par TER à Lyon puis par TGV à Paris Gare de Lyon à vingt-deux heures vingt, où il récupère un taxi pour arriver chez lui, y arrivant à minuit. Il embrasse sa femme, informée de sa venue par un coup de téléphone rapide pendant l'arrêt à Lyon. Il se rafraîchit et se dirige vers la maison de son ami défunt, son épouse ayant prévenu Muriel quelques heures auparavant et lorsque Victor a récupéré sa voiture. Vers une heure du matin, il entre dans la maison, demande à son amie de ne rien lui demander, qu'il lui expliquerait après, puis il monte à l'étage, où on trouve dans le couloir un panier de basket accroché au mur, avec un ballon qui entre dans le haut du filet, une raquette de tennis en bois avec deux balles de tennis, un ballon de football en vieux cuir, une batte de base-ball entourée par un gant de receveur, un ballon de rugby ancien sur une étagère, ou encore un club de golf par ci par là, mais aussi des maillots d'équipes de sports. Il se dirige vers le ballon de rugby, va dans le bureau, délace le vieux cuir du ballon et fouille l'intérieur. Il devine du scotch costaud, l'enlève et retire le contenu : une disquette informatique 3,5 et un CD-RW. Il récupère des disques vierges dans le bureau, réalise des copies des supports ainsi trouvés et dit au revoir à la maîtresse des lieux, après avoir fait du rangement, puis reprend la route vers une heure trente. Direction l'Autoroute A6 qu'il retrouve à Corbeil-Essonnes après trois quarts d'heure de route, puis direction Auxerre pour un arrêt pause-café, avant reprise de la route, l'arrêt suivant étant à Mâcon, et enfin l'arrivée à Voiron, vers sept heures du matin, d'où douche rapide et petit déjeuner avec le reste de l'équipe avant de préparer la dernière étape. Avant de rejoindre l'hôtel, il avait pris soin de déposer les supports informatiques dans deux casiers à la gare de Voiron. Le reste de la journée fut un calvaire sur le vélo, mais les spécialistes purent facilement penser qu'il avait du mal à se remettre de son escapade de la veille, alors qu'il avait bientôt trente-neuf ans. Après l'arrivée à Grenoble, il se fait déposer à Voiron, récupère sa voiture, non sans penser à récupérer les objets déposés dans les casiers de la gare. Le lendemain matin, il est de retour à son domicile, ayant pris le temps et fait des pauses sur le bord de la route. Il n'y a personne lorsqu'il arrive chez lui. Ce lundi 14 juin, l'envie est irrésistible de visionner ce qu'il a trouvé dans le ballon de rugby. Il branche son PC, ouvre les fichiers et commence à visionner. Il y a des tableaux et des données qu'il a du mal à comprendre, si ce n'est qu'il y a des éléments qu'il finit par reconnaître, puisqu'il s'agit de notes liées au travail de son ami sur l'équation entre IMC et capacités de puissance maximale avec différents paramètres. Il y a aussi des notes, un enregistrement audio et diverses preuves qui sont bel et bien la clé de l'énigme qui lui tenait tant à cœur. Il réfléchit à la manière de procéder. Il organise les fichiers et fait des copies en plusieurs exemplaires, puis téléphone à un médecin de l'INSEP dans lequel il sait avoir confiance et obtient de lui de le rencontrer dès le début d'après-midi. Ils se retrouvent à l'INSEP et le scientifique lui confirme ce qu'il imaginait en lui donnant des détails supplémentaires qui lui font froid dans le dos. Il rejoint ensuite son avocate, qu'il avait joint dans la matinée et ils finissent de mettre au point la stratégie. Il est ensuite temps de rejoindre sa petite famille, avant de devoir repartir dans la nuit pour prendre le départ du Tour de Suisse, débutant à Bâle, soit six heures trente de route.

Victor n'a aucune ambition sportive, si ce n'est que d'aider Laurent Douaneau et l'équipe en général et parfaire sa condition en vue du Tour de France. Tôt ce mardi 15 juin, Sylvie joint le juge Bouille pour caler une audience durant laquelle son client souhaite apporter des éléments essentiels à la compréhension des faits relatifs au meurtre de son ami. Un tant récalcitrant, il doit se rendre à l'évidence qu'il n'a rien d'autre pour le moment et qu'il faut aussi composer avec le calendrier du sportif. Après un tour de Suisse en demi-teinte pour Victor, mais avec une victoire éclatante de Laurent sur l'étape la plus montagneuse et un podium au final, les coureurs sont de retour chez eux de façon à pouvoir concourir dans les championnats de chaque pays qui ont lieu le dimanche 27 juin. C'est à quinze heures, ce vendredi 25 juin, que Victor, assisté de Sylvie, pénètre dans le cabinet du juge Bouille, lui-même assisté de sa greffière, mais aussi en présence du chef d'enquête. Le juge invite Victor à présenter les éléments nouveaux au titre de la collaboration avec la justice : « M. Larcher, voilà que vous devenez assistant de justice. Vous pouvez commencer par me dire comment vous avez récupéré ces informations ? »

« J'ai eu un déclic en passant devant un terrain de rugby en pleine compétition il y a presque deux semaines et je suis allé le plus vite possible au domicile de Brice, sa femme m'ayant laissé entrer, et j'ai tout de suite ouvert le vieux ballon de rugby en cuir, ayant eu l'intuition que Brice avait nécessairement fait des sauvegardes informatiques. »

« Ce dossier n'est qu'une histoire d'intuition, puisque vous n'êtes plus inquiété du fait de l'intuition du chef d'enquête, qui a fait réaliser les expérimentations nécessaires sur la couverture pour fausser la datation horaire du décès et l'intuition s'appelait l'inspecteur Columbo »

« Je ne le savais pas, et merci pour cette salvatrice intuition, et de mon côté, vous avez pouvoir mieux comprendre de quoi il s'agit dans ce dossier », répond-il en tendant un CD au magistrat.

Celui-ci est embêté, puisqu'il ne dispose pas d'un lecteur de CD. Victor ne se démonte pas : « Vous pourrez vérifier la concordance des données, mais j'ai aussi extrait les données sur papier et j'ai aussi une disquette 3,5 pour une partie audio. »

Il montre d'abord les données récoltées par Brice Gallopin sur la question du dopage, mettant en cause de manière très nette Elvis Monroe, plusieurs coureurs de l'équipe du coureur américain, et ce depuis plusieurs années, soit de 1994 à 1998, mais aussi les performances tout aussi douteuses du leader de sa propre équipe, en l'occurrence Wolfgang Cheskowic, depuis seulement quelques mois avant ce début septembre 1998. Le juge comprend alors qu'il y a bien une histoire de lutte antidopage dans cette affaire. Il comprend aussi, même si les données devront être expertisées, que le médecin était en situation de révolutionner cette lutte par une mise en évidence très simple de la tricherie à partir des résultats propres aux coureurs ciblés. De quoi s'attirer les foudres de personnes ayant des intérêts et même ayant investi dans un tel dispositif. Il trouve d'ailleurs des liens étroits entre le directeur commercial de sa propre équipe, l'actionnaire majoritaire et les représentants de l'industrie pharmaceutique. Il fait même état d'une relation furtive avec un médecin au passé sulfureux. Après des recherches très ciblées, croisement de certains agendas, il a noté des liens également avec des marchés financiers, liés potentiellement à la pègre internationale via des paradis fiscaux. Autant d'éléments qu'il faudra vérifier, mais qui sont une base de départ pour une vraie nouvelle enquête, même si le juge semble un peu frileux, du fait que c'est la parole d'in disparu contre des personnalités normalement au-dessus de tout soupçon. C'est là que Victor dégaine son enregistrement audio, celui-ci devant être expertisé et de plus de mauvaise qualité, mais il connaît au moins deux des trois voix qu'on entend, Brice ayant noté qu'il avait réussi à faire cet enregistrement de manière dissimulée dans un hôtel à moins de cinq mètres des protagonistes, avec même la possibilité d'avoir été repéré. Il s'agit d'un « inconnu » pour Victor, mais sinon des présidents de la FFC et de l'UCI. Les échanges plus qu'audibles, ainsi que les accents reconnaissables, très rugueux pour le français et flamand pour l'autre, expriment ceci :

« Maintenant que nous avons placé nos pions et investi ce qu'il fallait, il est temps de passer à la phase 2 de notre plan »

« En effet, nos produits ont fait la preuve de leur efficacité et il n'y a que très peu de suspicion quant aux performances de nos coureurs déjà ciblés »

« Et pour le médecin qui essaie de trouver une parade ? »

« Il est plutôt isolé et nous le surveillons de près »

« C'est intéressant de constater que notre plan n'a pris aucun retard, que la phase 2 va pouvoir se développer sans souci majeur, avec le développement d'une nouvelle équipe, pour donner l'illusion d'une saine compétition, et dans maximum deux années on passe à un maximum de sports, de manière à réduire l'aléa sportif et s'en mettre plein les poches, ainsi que nos partenaires quant à l'investissement. »

« Je crois qu'il est préférable d'en rester là... » et l'enregistrement s'arrête net, ce qui avait conforté le médecin sur le fait qu'il a pu être repéré, d'où une certaine tension début septembre et la volonté de se confier à son meilleur ami, mais il n'en eut pas le temps. Le chef d'enquête intervient alors : « C'est du lourd, du très lourd, M. Larcher. Certes, il va falloir analyser, expertiser les voix, les données transmises, mais je suis sûr des deux présidents, du fait qu'ils ont beaucoup pris la parole à l'occasion de votre mise sur la sellette, et ils auraient dû rester discrets. Par contre, je suis certain de connaître la troisième voix. »

« Vous comptez en faire quoi, monsieur le Juge ? » interrompt alors Victor.

« M. Maupuis vient de vous dire qu'il va falloir réaliser des examens minutieux avant d'aller incriminer des personnalités telles que celles figurant dans ce dossier »

« Combien de temps, puisque je ne vous trahirai aucun secret en précisant que le Tour de France commence dans à peine plus d'une semaine et ça me ferait mal, surtout pour Brice, que ces malfaisants puissent placer leurs pions pendant cette épreuve si importante, et que dire des tricheurs en situation de gagner des étapes et même l'épreuve reine de notre sport, d'autant que le numéro 1 mondial sortant a déjà commencé le début de sa moisson et que mon ancien leader s'est déjà adjugé le Paris-Nice, puis le Dauphiné Libéré ? »

« Je vais faire de mon mieux, mais je ne peux rien vous promettre pour la semaine prochaine. De toute façon, il y aura une issue à cette situation, maintenant que nous avons des billes et on doit vous remercier grandement. »

Ils se saluent alors, Victor restant perplexe, le juge ne lui donnant pas l'impression de vouloir aller au plus vite, les enjeux, les personnes à mettre en cause l'amenant à prendre plus que des pincettes !

Chapitre 9
Un tour de France très spécial

Deux jours plus tard, c'est le Championnat de France qui se tient dans le Puy-de-Dôme, le département où a grandi Victor et c'est l'occasion pour lui de récupérer le maillot tricolore pour la troisième fois, s'offrant un cadeau d'anniversaire avec un jour d'avance pour ses trente-neuf ans. Lorsqu'il monte sur le podium, il fait plaisir à voir, donnant l'impression d'avoir un jeunot qui gagne sa première victoire, les tumultes des mois précédents l'ayant pour autant marqué et il peut enfin se libérer de la meilleure façon, montrant aussi aux autres coureurs qu'il est en forme et qu'il faudra compter avec lui.

Alors que le Tour de France se profile, il téléphone au juge d'instruction pour savoir où il en est de ses investigations, lui rappelant à quel point l'épreuve reine de son sport ne pouvait se tenir normalement, comme une validation d'une situation favorable à des tricheurs, alors même que les éléments sont maintenant connus de la justice. Le juge lui explique que les procédures pourront être prochainement déclenchées, les services techniques étant encore dans la consolidation des données à partir des éléments fournis il y a peu. Ce dernier s'en remet encore au système judiciaire, alors qu'il aurait plutôt été enclin à dénoncer l'affaire sur place publique, mais c'est son amie avocate qui l'en avait dissuadé.

Le samedi 3 juillet se tient le prologue de sept kilomètres au Puy-du-Fou et Victor part dans les derniers, du fait de sa dixième place de l'année précédente. Le coup de pédale est aérien, malgré des braquets considérables, la science des trajectoires est parfaitement maîtrisée et le travail d'aérodynamisme réalisé en amont se traduit sur le terrain par une lutte avec les meilleurs. Il peut toujours s'appuyer sur des techniciens qui lui préparent un matériel au top. Et il y a peut-être un supplément d'âme qui explique que le porteur du maillot de champion de France va vite, très vite. À l'arrivée, c'est de l'ordre de 2 secondes d'avance sur les autres spécialistes du chrono et de six à huit secondes sur des coureurs qui peuvent jouer le général et jusqu'à plus de trente secondes sur les coureurs les moins forts dans le chrono. À l'issue du prologue, il troque le maillot de champion de France contre celui de leader du Tour, soit le mythique maillot jaune. Il est par ailleurs plutôt content que son ancien protégé, Fabrice Dufnac, endosse le maillot blanc de meilleur jeune (moins de 25 ans), démontrant qu'il a progressé en contre-la-montre.

Le lendemain, deux cent trois kilomètres, entre Montaigu et Challans, attendent les coureurs. Alors qu'ils auraient pu voir de long en large le marais poitevin, ils ont décidé d'attaquer fort, ne voulant pas laisser l'arrivée pour les sprinters, alors que cette étape leur était dédiée. Ils sont une vingtaine de coureurs arrivant à s'échapper, dont le maillot jaune qui n'est pas pris au sérieux par les prétendants à la victoire finale, d'où une avance allant jusqu'à six minutes avant que le peloton ne réagisse, mais trop tard. C'est Jan Kirsipuu, finlandais, qui gagne le sprint du groupe de tête, devant un coureur italien modeste autant qu'inconnu, et Victor. Par le jeu des bonifications à l'arrivée, soit dix secondes pour le 1er, six pour le 2ème et quatre pour le

3ème, en plus des temps de la veille, Victor conserve son maillot jaune avec deux secondes d'avance sur Jan Kirsipuu, quatre secondes devant l'Italien sprinter, de huit à quinze secondes sur les dix-sept compagnons d'échappée et enfin deux minutes quarante-quatre secondes sur les cadors du peloton, celui-ci arrivant deux minutes trente-huit secondes plus tard. Jan Kirsipuu endosse le maillot vert et Fabrice Dufnac conserve le maillot blanc du meilleur jeune.

Par la suite, les équipes de sprinter ne se font pas surprendre, réussissant à merveille à gérer le jeu du chat et de la souris, la souris étant le groupe d'échappés à qui on ne laisse jamais suffisamment de temps, mais qu'on laisse partir dès lors qu'il n'y a pas de coureur dangereux pour le classement général, et le chat le peloton qui fond sur sa proie avant l'arrivée, pour que celle-ci se dispute entre sprinters. Ainsi entre le 5 et le 10 juillet, les étapes ralliant Challans à Saint-Nazaire, Nantes à Laval, Laval à Blois, Bonneval à Amiens, Amiens à Maubeuge et enfin Avesne sur Helpe à Thionville, soit un total de mille cent quatre-vingt-dix-sept kilomètres et en moyenne cent quatre-vingt-dix-huit kilomètres, sont d'abord remportées par Tom Steels à deux reprises, ravissant le maillot vert à Jan Kirsipuu, avant que Mario Cipollini ne fasse de même le 8 juillet, alors qu'il aligne quatre victoires d'affilée. Pas de changement au classement général, qui voit Victor Larcher se balader en jaune du dimanche 4 au samedi 10 juillet, assuré de courir le contre-la-montre du lendemain avec la tunique jaune. De son côté, Fabrice Dufnac est toujours maillot blanc, tandis que Laurent Douaneau profite d'être dans l'échappée du jour entre Nantes et Laval et passer en tête dans les montées proposées pour le classement du meilleur grimpeur, d'où le port du maillot à pois très reconnaissable et apprécié du public.

Le dimanche 11 juillet, c'est bel et bien un contre-la-montre de cinquante-six kilomètres et demi, assez vallonné, qui est proposé aux coureurs. Pendant longtemps, le meilleur temps fut détenu par un certain Mickael Anderson avec un temps de 1 heure 5 minutes et 46 secondes, soit à la vitesse de 52 km/h, avant d'être détrôné par Santiago Botero, par ailleurs plutôt bon grimpeur, couvrant la distance en 1 heure 5 minutes et 9 secondes à la moyenne de 52,5 km/h. À l'arrivée de Laurent Douaneau, il était facile de s'apercevoir de ses progrès, enchaînant les kilomètres sans que cela paraisse compliqué, étant même le plus véloce sur la partie la plus pentue, comptant pour le classement des grimpeurs, ce qui lui permet de conserver le maillot distinctif. Il finit l'exercice en 1 heure 5 minutes et 18 secondes, à 52,3 km/h de moyenne, ce qui était déjà une très bonne performance, le classant au final à la huitième place de l'étape. Le suivant sur la ligne d'arrivée est son ancien équipier Fabrice Dufnac, bouclant le parcours en 1 heure 5 minutes et 2 secondes, soit à 52,57 km/h de moyenne, prenant alors provisoirement la 1ère place du jour, lui permettant de devancer Laurent Douaneau en ajoutant près de vingt secondes pour le classement du meilleur jeune. Le suivant est Wolfgang Cheskowic, arrivant 1 heure 4 minutes et 50 secondes, à la vitesse moyenne de 52,75 km/h, prenant pour ne pas la quitter la 1ère place de l'épreuve chronométrée. Elvis Monroe est parti derrière lui, étant au courant des temps de passage, mais n'arrivant pas à finir mieux que lui, soit en 1 heure 5 minutes pile, à 52,62 km/h de moyenne et à la 2ème place de l'épreuve. S'en suivent des coureurs pas dangereux au général et peu inspirés par l'épreuve chronométrée. Le dernier à s'élancer est Victor, qui a les temps intermédiaires des rivaux, les infos communiquées par ses équipiers et qui se sent plutôt bien. Les sensations sont bonnes, le coup de pédale souple et efficace, n'hésitant pas à recourir à des gros braquets, ce qui lui permet de terminer en 1 heure 5 minutes et 5 secondes, à la moyenne de 52,55 km/h, en 4ème position de l'épreuve. Pour le classement général, on y voit alors plus clair, avec Victor Larcher en tête, devançant Jan Kirsipuu à 1 minute 34 secondes, Wolfgang Cheskowic devenant 3ème à 2 minutes 29, puis Elvis Monroe 4ème à 2 minutes 39, 5ème Fabrice Dufnac à 2 min 41 s, de la 6ème à la 12ème place les écarts allant de 2 minutes 45 à 3 minutes 12, Laurent Douaneau étant 13ème à 3 minutes 14, mais conservant le maillot à pois, tandis que Fabrice Dufnac reste en blanc pour le maillot du meilleur jeune. Mario Cipollini est évidemment encore maillot vert.

Vient le lundi 12 juillet avec la 1ère journée de repos, les coureurs étant transférés dans les Alpes, leur permettant de s'entraîner en vue des prochaines difficultés. C'est aussi un temps qu'utilise Victor pour joindre le juge Bouille pour en savoir plus sur les procédures devant être lancées. Il comprend que le juge lui demande du temps, mais il saisit aussi que le juge est assez mal à l'aise à l'idée de se lancer dans une chasse, qui sera nécessairement plus que mouvementée, du fait de la taille du gibier concerné. Victor est à deux doigts de tout envoyer bouler quand le juge lui demande de prendre conseil auprès de son avocate. C'est ce qu'il fait le soir même, Sylvie arrivant à lui faire entendre raison, son intérêt n'étant pas de se mettre le magistrat à dos.

Après une nuit agitée se profile la 1ère étape de montagne pour cette édition. L'étape proposée est propice à la course de mouvement, dans laquelle se lance une huitaine de coureurs, dont Laurent Dufaux, grimpeur émérite helvétique. Le Suisse se dispute le passage dans le col du Tamié, du Télégraphe et du

Galibier et ils ne sont plus que trois pour aborder le col de Montgenèvre et enfin la montée vers Sestrières. Il termine vainqueur, faisant une remontée au général et prenant le maillot à pois à l'issue de cette étape. Les trois devancent Laurent Douaneau, arrivé 30 secondes plus tard, puis Victor 25 secondes plus loin, devançant à la 6ème place Fabrice Dufnac de 3 secondes, mais de 5 secondes le duo Cheskowic/Monroe et 8 secondes les autres coureurs en lice pour le classement général. Au général, Victor a 2 minutes 34 d'avance sur Wolfgang Cheskowic, 2 minutes 44 sur Elvis Monroe et Fabrice Dufnac, 2 minutes 48 sur Laurent Douaneau, le 6ème étant à 2 minutes 50, le 7ème à 2 minutes 51, le 8ème à 2 minutes 54, le 9ème à 3 minutes 03, le 10ème qui est Alex Zuelle à 3 minutes 16, Pascal Dufaux étant 11ème à 3 minutes 21, le 12ème étant à 3 minutes 22 en la personne de Santiago Botero.

Vraie différence le lendemain au regard du juge de paix qui attend les coureurs. Même si quelques coureurs font preuve d'une grosse activité dans la montée du Mont-Cenis, permettant à Laurent Douaneau de reprendre le leadership du classement de la montagne, il y a regroupement général dans la vallée de la Maurienne, laissant place à une échappée de quelques coureurs non dangereux dans la montée du col de la Croix de fer, mais la route est ensuite trop longue dans la vallée de l'Oisans, le juge de paix qu'est la montée de l'Alpe d'Huez se présentant avec le gros du peloton reformé. Il est gravi à un rythme assez soutenu, mais pas assez, puisqu'il permet à Laurent Douaneau de faire un numéro de voltige, à plusieurs kilomètres de l'arrivée, laissant sur place et sans possibilité de retour ses concurrents, les devançant de 45 secondes, du moins Fabrice Dufnac, lui-même 10 secondes avant Elvis Monroe, mais aussi quelques coureurs spécifiquement grimpeurs intercalés 6 secondes plus tard, eux-mêmes 8 secondes devant Wolfgang Cheskowic, Victor n'arrivant que 1 minute 25 après son équipier, ayant eu des difficultés dès la rampe de lancement, mais limitant les dégâts sur la deuxième partie de la montée. Au général, et avec le jeu des bonifications pour les trois premiers (10, 6 et 2 secondes), Victor Larcher est toujours en tête, mais avec 1 minute 13 d'avance sur laurent Douaneau, qui récupère son maillot à pois et qui devient le meilleur jeune, 1 minute 58 sur Fabrice Dufnac, alors que viennent ensuite à la 4ème place Elvis Monroe à 2 min 15 s, Wolfgang Cheskowic à la 6ème place à 2 minutes 28. Les spectateurs sont d'autant plus fiers qu'il s'agit d'un doublé français le jour de la fête nationale.

Du jeudi 15 au dimanche 18 juillet sont proposées des étapes de transition, où différents intérêts s'opposent ou se complètent. C'est d'abord cent quatre-vingt-dix-huit kilomètres et demi entre Le Bourg d'Oisans et Saint-Étienne qui permettent à Ludo Dierckwens de gagner un sprint entre dix coureurs, 6 minutes avant le peloton. Puis de Saint-Galmier à Saint-Flour, c'est deux cent un kilomètres et demi très accidentés, permettant une échappée, d'où s'extrait David Etxberria pour une victoire en solitaire. Entre Saint-Flour et Albi, c'est la plus longue étape avec deux cent trente-six kilomètres et demi, les premières côtes de la journée permettant à Laurent Douaneau de renforcer son maillot à pois, l'échappée sérieuse ayant lieu par la suite, laissant encore une victoire en solitaire pour Salvatore Commesso. Enfin, les cent quatre-vingt-dix-neuf kilomètres entre Castres et Saint-Gaudens permettent à nouveau une course de mouvement, Dimitri Konyshev réussissant à terminer devant le peloton à 3 minutes 45 secondes, Victor Larcher terminant à 45 secondes des mieux classés au général, ce que des commentateurs attribueront soit à un début de fatigue, alors que se profile la 2ème journée de repos, soit à une difficulté passagère pour le moment inexpliqué. Au général, il n'a plus que 28 secondes d'avance sur Laurent Douaneau, 1 minute 13 sur Fabrice Dufnac, 1 minute 27 sur Elvis Monroe, 1 minute 41 sur le 5ème, 1 minute 43 sur Wolfgang Cheskowic, etc.

Il faut dire que Victor est sous tension, ayant appelé son avocate le matin, inquiet de ne pas avoir de nouvelles du juge d'instruction. Il était convenu que son épouse le rejoigne à Saint-Gaudens avant la journée de repos. C'est ainsi que le couple Larcher se retrouve, ce qui le comble, le ravit, le sécurise. Sylvie Michalon, son avocate, est de la partie. Ils échangent sur la tactique à suivre, Victor ayant toujours de plus en plus persuadé qu'il faut un peu forcer la main du juge, avis qui n'est pas celui de l'avocate. C'est alors son épouse qui va insister dans le même sens que lui. Ainsi, le matin du lundi 19 juillet, il est question d'entraînement tranquille pour pouvoir gérer les jours suivants. Ensuite, il passa un coup de fil au juge pour le prévenir d'une conférence de presse l'après-midi vers 16 h 30, des documents étant envoyés aux médias par anticipation, histoire de ne pas pouvoir être dissuadé. Le juge n'est pas très en phase avec cette façon de faire, mais il comprend qu'il va se retrouver dans l'obligation de suivre, d'où le lancement des procédures, avec des commissions rogatoires envoyées dans les sièges d'organisations concernées ainsi que pour la gendarmerie de Saint-Gaudens.

Il y a foule dans la salle des fêtes de Saint-Gaudens, les médias audiovisuels et de la presse écrite ayant reçu directement ou par ricochet des données jusque-là en possession de Victor et de la justice.

Alors que la salle est comble, il s'assoit, sa femme à sa droite, son avocate à sa gauche, son directeur sportif n'étant pas loin, accompagné de Laurent Douaneau et de Fabrice Dufnac. Ce dernier est présent parce qu'il ne s'est pas défaussé lorsque Victor lui a précisé qu'il aurait besoin de lui. La conférence de presse commence ainsi :

« Cette conférence de presse est inédite, mais l'enjeu est de taille. Beaucoup d'entre vous ont reçu des données, des tableaux, qui ne sont qu'une partie de ce dont dispose la justice. Ces éléments sont le fruit du travail de Brice Gallopin, médecin reconnu dans sa partie qu'est la physiologie de l'effort et qui était mon ami. Cet ami qu'un temps j'étais supposé avoir assassiné. Oui, il a été assassiné, non par moi, mais en raison de son travail autour du dopage. Brice était en train de trouver comment lier l'IMC d'un sportif à ses performances sportives en y intégrant les paramètres spécifiques à l'épreuve à considérer tels la pente, le vent, la puissance aérobie et je vous en passe. Il était donc impossible pour certains d'accepter que les efforts, qu'ils avaient développés pour limiter au maximum l'aléa lié au sport, soient réduits à néant. Il semble qu'il puisse y avoir une certaine collusion avec des milieux d'affaires et même la pègre internationale, le recours au meurtre étant un outil alors admissible. J'ai tenu à faire cette conférence de presse parce que je trouvais, malgré tout mon respect dû à l'institution judiciaire, que les choses n'allaient pas assez vite et qu'il m'était insupportable qu'on puisse aller au terme de cette épreuve sans que des mises en cause soient faites. » Après ce préambule, les questions fusent de la part des journalistes :

« Les données que nous avons reçues sont donc valides ? »

« Oui, totalement, elles ont été certifiées du point de vue juridique. »

« Et du point de vue du fond, ce qui est développé est crédible ? »

« Complètement, l'ensemble des données a été analysé, notamment par des éminents spécialistes et je sais à quel point Brice espérait beaucoup dans cette méthodologie, qui pourrait être rapidement développée, d'où une certaine révolution, surtout pour ceux qui ont recours au dopage, tant physique, médicamenteux que technologique »

« Vous avez conscience que cela peut déboucher sur la remise en cause du champion sportif dont les performances sont un mystère. »

« Peut-être et encore, il pourra subsister une part de mystère parfois, mais tout le monde sait qu'une énorme composante de la performance tient dans la rigueur et la difficulté de l'entraînement. »

« Sur l'aspect judiciaire, y a -t-il un lien entre les données et la mise en cause d'une ou plusieurs équipes ? »

« Oui, mais je laisserai les enquêteurs œuvrer sur ce point, mais je peux juste vous apporter un éclairage spécifique. Mon ancien leader, Wolfgang Cheskowic a été approché par ces malfaisants qui peuvent aller jusqu'au meurtre. Je ne me doutais même pas qu'il profitait du dopage au sein même de l'équipe dans laquelle nous étions ensemble, et de plus supervisés par Brice. Mais pas seulement par lui pour ce qui est du coureur polonais, et Brice avait fini par s'en rendre compte et les données compilées le montrent aisément. Je sais que vous avez besoin de plus pour vous forger votre opinion. Je vais demander à Fabrice Dufnac de vous éclairer sur le sujet », lui passant alors le micro.

« Vous savez que j'ai quitté l'équipe de Victor en début d'année, et ce assez brutalement, notamment après le discours du président de l'UCI, visant à l'isoler, d'où une certaine panique pour la suite de ma carrière. J'ai assez vite compris qu'il n'en était pas de même pour mon leader, qui m'avait incité à changer d'équipe, alors même que j'étais très lié à M. Larcher, qui a toujours cru en moi et m'a aidé à progresser. En effet, j'ai acquis la certitude que sa décision d'être leader dans une nouvelle équipe, avec plus de moyens, datait de largement plus tôt que le discours du président de l'UCI, voire de celui du président de la FFC. J'avais été habitué à progresser avec le travail précis de l'entraînement et la spécificité autour de la physiologie de l'effort que développait M. Gallopin, mais j'ai été très surpris de mes résultats de début de saison, où je pétais le feu, mais pas comme d'habitude. Cela m'a fait réfléchir, d'autant plus facilement quand j'ai vu traîner autour de l'équipe un médecin italien de réputation assez sulfureuse. J'ai alors décidé de ne plus utiliser les bidons préparés par l'équipe, mais ceux à disposition de manière neutre par l'organisation des courses auxquelles j'ai participé, et j'ai pu me rendre compte aisément que mes performances étaient moindres. C'est alors que j'en ai parlé pendant le Giro à M. Larcher, qui m'a conseillé de ne pas me faire remarquer inutilement. J'ai alors accepté à nouveau les bidons pour que mes performances ne baissent pas trop, sachant que je n'allais pas faire ça très longtemps, mais je n'en suis pas resté là. J'ai récupéré suffisamment de produit pour le faire analyser, puis à l'appui des premiers résultats, aller trouver les enquêteurs pour leur remettre des échantillons. Ceci s'est fait juste avant le départ du Tour de France et j'accepte évidemment de m'en remettre à la justice d'abord, puis à la justice sportive par la suite. » L'assistance marque un temps de stupéfaction.

« M. Larcher, il semble que le procès du dopage ne fait que commencer, mais qu'en sera-t-il de l'affaire du meurtre proprement dit de votre ami ? »

« Nous avons en effet essentiellement évoqué le dopage, mais la justice dispose de pièces qui lui permettent déjà et permettront d'aller plus loin dans les investigations pour résoudre ce meurtre. De mon côté, j'ai effectué mon travail, transmis les données à la justice, attendu tant que j'ai pu et donné un coup de pied dans la fourmilière et la suite est du ressort des enquêteurs et de la justice. Au fil du temps, j'ai pu enfin comprendre pourquoi mon ami Brice m'avait dit un jour que *les roues ne tournent pas toutes aussi vite*. Merci, mesdames et messieurs ! »

Survient alors Bruno Maupuis, qui prend les choses en main : « L'enquête reprend en effet son cours. M. Dufnac va nous suivre pour que nous l'auditionnions à nouveau et je peux juste affirmer que la justice prend le relais des hostilités lancées par M. Larcher. » Victor comprend alors qu'il a sûrement eu raison de bousculer le juge d'instruction. Alors que les journalistes sortent dans un certain brouhaha, Bruno Maupuis, assisté de deux autres policiers, accompagne Fabrice Dufnac vers la sortie, sans avoir recours aux menottes, le coureur ayant déjà fait preuve de sa collaboration, en étant prêt à assumer.

Victor retrouve alors sa femme et son amie Sylvie, et tous vont se détendre, avant qu'il ne retrouve ses coéquipiers et son staff. Il peut ensuite passer une nuit paisible, le sentiment du devoir accompli, persuadé que la suite devrait le satisfaire, même s'il y a la reprise de la compétition, et il porte toujours le maillot jaune, et ce depuis le début.

Il y a de l'effervescence en cette matinée à Saint-Gaudens. Plusieurs voitures de police sont présentes, après être passées à l'hôtel où se trouvait l'équipe de Wolfgang Cheskowic, histoire de perquisitionner les chambres, les locaux utilisés par l'équipe et les véhicules, puis d'arrêter tous les protagonistes de cette équipe, impliquant l'abandon de l'ensemble de l'équipe, d'où modification de fait du classement général. Au milieu de l'agitation du village départ, Victor aperçoit le juge Bouille, qui a fait le déplacement et qui s'adresse aux micros tendus devant lui :

« Après l'analyse des documents en notre disposition et à la suite de la conférence de presse de M. Larcher hier, j'ai diligenté une perquisition visant l'équipe de M. Cheskowic, demandé la mise en garde à vue de l'ensemble de son équipe, afin d'interrogatoires qui seront menés dans les locaux de la police de Toulouse. J'ai également déclenché une procédure visant d'autres coureurs, dont le leader mondial M. Elvis Monroe, qui ne fait pour le moment pas l'objet d'une garde à vue et il y a aussi des procédures visant à entendre des dirigeants de fédérations. L'ensemble des investigations, des auditions à venir et la mise en convergence avec les données dont nous disposons devraient nous permettre d'avancer de manière efficiente pour l'élucidation de l'assassinat de Brice Gallopin. Je ne répondrai à aucune question, notamment en raison de la charge de travail qui nous attend ! »

Ce 20 juillet, ce n'est pas moins de cinq cols à franchir et une arrivée en altitude, ce qui est propice à une attaque d'envergure initiée par Pascal Dufaux, avec d'autres grimpeurs, même si Laurent Douaneau a préféré joué la gagne de l'étape plutôt que les points de la montagne, ne passant qu'en troisième position au col des Ares, deuxième au col du Menté, pas classé dans les cols du Portillon et de Peyresourde, mais deuxième et encore en forme en haut du col du Val Louron, lui permettant d'espérer la victoire d'étape à Piau-Engaly, qui échoue finalement à Fernando Escartin, avec 10 secondes d'avance sur le suisse. Laurent Douaneau, marquant des points importants pour son maillot à pois, arrive 35 secondes après le suisse, devançant de 15 secondes Elvis Monroe, puis quelques coureurs qui comptent au classement général 6 secondes après, devançant de 2 secondes Victor Larcher qui réalise alors un gros finish, le milieu de l'ascension ayant été plus compliquée pour le maillot jaune, le reste des coureurs importants arrivant 20 secondes plus tard.

Avec les évènements de la matinée, les écarts entre les coureurs et le jeu des bonifications, le classement général est le suivant : Victor Larcher reste 1er avec 3 secondes d'avance sur Laurent Douaneau, maillot à pois et maillot blanc, 58 secondes sur Pascal Dufaux alors 3ème, 4ème Elvis Monroe à 1 minute 19, le 5ème étant à 1 minute 39, le 6ème à 1 minute 43, le suivant à 1 minute 52, 8ème Alex Zuelle à 2 minutes 05, 9ème Fernando Escartin à 2 minutes 06, les deux suivants étant 2 minutes 38 et 2 minutes 42.

Le mercredi 21 juillet, il n'y a que 4 montées et une arrivée après une descente, mais c'est aussi la dernière opportunité de se distinguer pour les grimpeurs. Le départ de Lannemezan voit une échappée se dessiner rapidement, mais avec des coureurs non dangereux au général, passant avant le peloton les cols d'Aspin, du Tourmalet et du Soulor, mais rattrapés avant la montée de l'Aubisque, sauf deux d'entre eux, dont David Etxebarria, signant sa 2ème victoire d'étape à Pau, Laurent Douaneau arrivant devant les principaux coureurs, bénéficiant de 2 secondes de bonification, soit 3 secondes avant Pascal Dufaux, 5 pour Elvis Monroe, 10 pour Fernando Escartin et 18 pour Victor, les autres coureurs s'égrenant toutes les 2 à 3 secondes, montrant la difficulté de la journée. Après 19 jours passés en jaune, Victor passe le flambeau à Laurent Douaneau, qui a tous les maillots, à l'exception du vert. Il devance Victor de 17 secondes, Pascal Dufaux d'1 minute, Elvis Monroe d'1 minute 06, les 5ème et 6ème de 1 minute 56 et 2 minutes 03, Fernando Escartin de 2 minutes 15, Alex Zuelle de 2 minutes 17, les 3 suivants étant respectivement à 2 minutes 32, 3 minutes 08 et 3 minutes 14.

Le jeudi 22 juillet s'offre à nouveau aux sprinters, du moins ceux qui sont encore présents, ce qui n'est pas le cas de Mario Cipollini, et de Moyrenx à Bordeaux, c'est pile deux cents kilomètres, la victoire étant pour Tom Steels, renforçant son maillot vert. Et sinon aucun changement pour les autres classements, pas plus qu'à l'arrivée du 23 juillet au Futuroscope et cent quatre-vingt-sept kilomètres, alors que Gianpaolo Mondini aura tiré son épingle du jeu au milieu de dix coureurs échappés, le peloton étant soit fatigué, soit déjà tourné vers le dernier contre-la-montre à la veille de l'arrivée aux Champs-Élysées.

Le contre-la-montre de cinquante-sept kilomètres pourrait causer des modifications dans les 10 premières places. Certains spécialistes de l'épreuve chronométrée sont mal classés et débutent leur épreuve en milieu de journée, l'un d'entre eux établissant un temps d'1 heure 3 minutes et 26 secondes, soit à 53,91 km/h de moyenne, puis un autre à 54,11 kms/h de moyenne pour un temps d'1 heure 3 minutes 12 secondes et enfin ce qui servira longtemps de chrono étalon avec 1 heure 3 minutes et 9 secondes, ce qui fait 54,15 km/h de moyenne. À près d'une heure du dernier partant, un coureur spécialiste de ce type d'épreuve court la distance en 1 heure 2 minutes et 59 secondes pour une moyenne de 54,3 km/h, ce qui est plutôt élevé vu l'allure des étapes précédentes. Vient le tour d'Alex Zuelle, alors 8ème du général de s'élancer et de claquer un temps d'1 heure 2 minutes 44 secondes à 54,52 km/h de moyenne, ce qui restera le meilleur temps de la journée. Fernando Escartin s'élance après Alex Zuelle et finit en 1 heure 5 minutes 6 secondes à 52,53 km/h, soit moins que ce qu'il espérait, les deux coureurs placés devant lui ne faisant pas un énorme chrono, alors qu'on peut attendre plus d'Elvis Monroe, alors 4ème au général. Ce dernier fait un très bon temps, doublant même un des concurrents partis 2 minutes avant lui, la vitesse moyenne étant de 54,19 km/h d'où une 3ème place de cette épreuve avec 1 heure 3 minutes et 7 secondes. Il n'en est pas de même pour Pascal Dufaux avec 1 heure 5 minutes et 14 secondes pour une moyenne de 52,42 km/h, alors que Victor donne tout ce qu'il a et court en moyenne à 53,27 km/h d'où un temps de 1 heure 4 minutes et 12 secondes, soit la 7ème place du jour. Mais la demi-surprise vient de Laurent Douaneau, parti en dernier avec le maillot jaune, qui fait mieux que limiter la perte de temps, ayant progressé dans cette discipline. Il avance à la moyenne de 52,76 km/h d'où le 14ème temps avec 1 heure 4 minutes et 49 secondes. Avec les résultats du jour, le classement général devient : 1er Elvis Monroe, 2ème Victor à 36 secondes, ainsi que Laurent Douaneau, 4ème Alex Zuelle à 48 secondes, 5ème Pascal Dufaux à 2 minutes 01, 6ème Fernando Escartin à 3 minutes 08, 7ème Santiago Botero à 3 minutes 48, les 8ème, 9ème & 10ème étant respectivement à 3 minutes 49, 4 minutes 02 et 4 minutes 15.

Les coureurs sont ensuite transférés vers Arpajon, lieu de départ de la dernière étape. Est-ce un hasard ? A priori non et plutôt une coïncidence, mais c'est dans cette ville, où est en poste le chef d'enquête pour le meurtre de Brice Gallopin et il aura fallu à peine cinq jours pour que l'enquête progresse avec des arrestations dans différents milieux, mais ce matin du dimanche 25 juillet, d'autres coureurs sont arrêtés, dont le maillot jaune et leader mondial, qui savait qu'il avait une épée de Damoclès au-dessus de sa tête. C'est un démarrage de dernière étape très particulier avec un changement de maillot jaune juste avant le départ. Les coureurs partent tout de même pour les derniers cent quarante-trois kilomètres et demi, avec l'image habituelle des maillots distinctifs en tête de peloton avant d'arriver à Paris : Pascal Dufaux en maillot à pois, parce que le 1er porte déjà le maillot blanc et il s'agit de Laurent Douaneau, puis c'est Victor avec le maillot jaune, départagé de Laurent au centième de seconde, et enfin Tom Steels avec le maillot vert. Il n'y a que pour ce maillot qu'il reste un minimum d'enjeu. Après des passages répétés sur les Champs-Élysées, le sprint est gagné par Robbie Mc Ewen, qui n'aurait pu être dangereux pour Tom Steels que si ce dernier ne terminait qu'après la sixième place. Dans la mesure où il finit deuxième, il maintient son maillot vert sur les épaules. Le podium est donc composé de Victor Larcher, Laurent Douaneau deuxième dans le même temps, portant aussi le maillot blanc et le maillot à pois, Alex Zuelle étant le 3ème à 12 secondes des premiers. Le 4ème est à 1 minute 25 en la personne de Pascal Dufaux, le 5ème Fernando Escartin à 2 minutes 32, le 6ème Santiago Botéro à 3 minutes 12, les suivants jusqu'à la dixième place étant à 3 minutes 13, 3 minutes 26, 3 minutes 31 et 4 minutes.

Victor est donc vainqueur à trente-neuf ans de la seule course à étapes qui lui manquait et pas la moindre, ce qui ne peut que le ravir, même si rien n'était prévu dans ce sens. Il a surtout la satisfaction d'avoir rendu plus facile l'action de la justice, avec des arrestations, certes tonitruantes pendant l'épreuve cycliste reine, des mises en examen et même des mandats d'arrêt internationaux. En plus, certains coureurs ont été amenés à avouer le recours au dopage, d'où des sanctions sportives dans l'attente d'un procès éventuel pour certains, et c'est ainsi que

Elvis Monroe, Wolfgang Cheskowic, ainsi que cinq autres coureurs, mais aussi des cadres d'équipe sont suspendus de toute compétition pendant deux années. Il est satisfait que Fabrice Dufnac n'écope que d'une suspension allant jusqu'à la fin de l'année 1999, eu égard à sa collaboration avec la justice et la faible incidence de son dopage sur les performances.

En attendant le procès, il y a une fin de carrière sportive à gérer et un relais à préparer en vue de son arrêt définitif. La fin d'année 1999 voit Victor renouer avec la victoire à Plouay, juste devant son dauphin Laurent Douaneau, mais aussi dans le Tour de Lombardie, ces deux courses qui lui tiennent à cœur, d'où la place le leader mondial en fin de saison, tandis que Laurent Douaneau finit numéro 3 mondial, finissant par le gain de la Vuelta et 3 victoires en montagne, mais aussi le Championnat du monde en Vénétie. À noter que Fabrice Dufnac finit 4ème mondial, Elvis Monroe et Wolfgang Cheskowic potentiellement 6ème et 8ème, ces deux derniers ne pouvant être dans le classement du fait de leur suspension au moins jusqu'en juillet 2001. Fabrice Dufnac peut reprendre la compétition dès début 2000 et rejoint l'équipe de Victor, qui continue d'avoir un faible pour ce coureur qui lui rappelle un peu son passé et qui partage la même date de naissance que son épouse. L'année 2000 est celle de sa fin de carrière sur le vélo et il tient à passer le relais dans les meilleures conditions aux deux jeunes qu'il avait pris sous ses ailes. Et la transmission est de taille, avec un début de saison et les classiques pour Fabrice Dufnac, soit Paris-Roubaix ou Liège-Bastogne-Liège après une victoire éclatante dans Paris-Nice, où son co-équipier Laurent Douaneau finit 3ème, dont une victoire d'étape en montagne, mais glane aussi la 2ème place sur Paris-Roubaix à même pas 22 ans. Fabrice ne finit que deuxième dans la flèche wallonne, mais se prépare pour le Giro, tandis que Laurent remporte les 5 jours de Dunkerque. Dans le Giro, Victor l'aide et permet à Fabrice de finir 2ème au général, gagnant au passage une épreuve contre-la-montre, tandis que Victor signe deux victoires d'étape et finit même à la 5ème place. Il finit 5ème du Dauphiné Libéré, que remporte Laurent Douaneau, alors que Fabrice finit 2ème du Tour de Suisse. Jusqu'au Championnat de France, il y avait ce plaisir particulier de voir parfois dans la même course les maillots de champion du monde et de champion de France dans la même équipe. En 2000, il passe de Victor à Laurent, Fabrice finissant 2ème et du coup c'est le même qui porte le maillot de champion de France et de champion du monde, la priorité allant à la tunique arc-en-ciel. Dans le Tour de France, Victor finit pas deux victoires d'étape de prestige, mais aide Laurent Douaneau à remporter son 1er Tour de France, gardant aussi la place de meilleur jeune et de meilleur grimpeur, remportant d'ailleurs trois victoires dans des étapes de montagne. Fabrice gagne ensuite le grand prix de Plouay, tenant tant à cœur à Victor, et il fera de même pour le Tour de Lombardie, lui permettant de terminer n° 2 mondial. Pendant la Vuelta, ayant soufflé pendant le Tour de France, Fabrice gagne tous les contre-la-montre et finit même 5ème au général, la victoire finale échouant à Laurent, avec encore trois victoires en montagne, ce qui fait de lui le plus jeune vainqueur du doublé Tour de France/Tour d'Espagne. Il finira en beauté sa saison par le gain du Championnat du monde à Plouay, où Victor finira à la 2ème place. Le plus jeune finit alors n° 1 mondial, Victor étant 8ème au moment de raccrocher le vélo pour ce qui est de la compétition. Il est heureux, fier d'avoir assuré le passage de relais, continuera à œuvrer au sein de son équipe au niveau du staff, plus comme conseiller spécial, mais peut aussi penser à bénéficier de temps personnel, notamment pour sa famille, plus particulièrement avec sa fille, qui ne tardera pas à passer du collège au lycée. Et puis, il allait falloir préparer le procès tant attendu, qui devrait aider à cicatriser cette blessure encore ouverte de la perte de son ami.

Chapitre 10
Le procès

L'instruction avait été finalisée le 15 octobre 1999, des arrestations ayant eu lieu par la suite quant aux malfrats accusés d'avoir perpétré le meurtre, et la chambre d'accusation avait rendu son rapport en février 2000, renvoyant les protagonistes devant la cour d'assises, l'essentiel des accusés comparaissant libres, sauf ceux qui avaient été arrêtés après la clôture de l'instruction et ayant fait l'objet de mandats d'arrêt internationaux. Nous y sommes et ce procès va débuter le lundi 10 juin 2002.

Le décorum ressemble beaucoup à ce qu'il a imaginé, y compris pendant ses heures de garde à vue en septembre 1998, alors qu'il avait été accusé du meurtre de Brice Gallopin, avant d'être totalement innocenté au printemps 1999, et avant d'être le déclencheur du coup de filet général, après avoir récupéré des documents mis de côté par son ami défunt. Il y avait une atmosphère indescriptible, une sorte de lourdeur, puisqu'il s'agissait de juger le meurtre d'un homme, d'un médecin, mais dans une ambiance spécifique, le dossier devenant une Affaire avec un grand « A ». Il y avait du monde, vu les implications, tous les médias étant présents, allant des journalistes de presse écrite et audiovisuels à visée généraliste aux spécialistes du sport, y compris une partie de la presse internationale. Victor Larcher est présent comme témoin et n'assiste pas au début de l'audience, de même que son épouse. Alors que leur amie commune, Sylvie Michalon, avocate de la partie civile, c'est-à-dire l'épouse du défunt médecin, sera présente du début jusqu'à la fin et qu'elle pourra leur faire un résumé précis des parties du procès auxquelles ils n'auront pu assister.

Il est neuf heures trente lorsque le président de la Cour d'Assises de Paris, Dominique Besnard comme imaginé par Victor lors de ses pensées fugaces du début de garde à vue, fait son entrée, suivi de ses assesseurs. Il y a d'abord Jean Aymard, quarante-huit ans, et qui a appris à dépasser le ressentiment qu'il pourrait avoir à l'encontre de ses parents quant au choix de son prénom, et qui va se révéler être très attaché aux droits de la défense, avec une volonté chevillée au corps du besoin absolu de preuves pour pouvoir condamner quelqu'un. Il est suivi de Michèle Teyssère, cinquante-deux ans, connue pour être très scrupuleuse, attachée à sa fonction de magistrate et désireuse de ne pas laisser une société partir à vau-l'eau, et elle vient prendre place à gauche du président. Entrent ensuite les jurés, avant que le président n'invite tout le monde à s'asseoir, avant que les accusés ne soient appelés à entrer, retrouvant alors leurs avocats respectifs au sein du box leur étant dédié. Il y a quatre hommes à la mine assez sinistre, arrivant menottés et encadrés par des policiers, les autres accusés comparaissant libres, qu'il s'agisse de Wolfgang Cheskowic, le directeur commercial de l'équipe professionnelle de cyclisme salariant le médecin assassiné au moment des faits, l'actionnaire principal de la même équipe, mais aussi Lucien Wallon, président de la FFC de 1993 à 1999 et enfin Jan-Peter Casper, président de l'UCI de 1991 à 2001. Avec le concours de l'avocate générale, qui n'est autre que la vice-procureure de Paris depuis 2000, préalablement procureure à Evry au moment des faits, soit Sophie Bazire, le choix définitif des jurés a lieu et le jury est donc composé, outre des trois magistrats, de cinq femmes de vingt-cinq à soixante-deux ans, la plupart sans emploi, et de quatre hommes de trente à cinquante-huit ans, l'essentiel étant des travailleurs manuels, habitués à travailler sous les ordres de quelqu'un. Le président fait alors lire l'ensemble des accusations, avec essentiellement des faits relatifs au meurtre, impliquant de s'intéresser au travail du médecin en physiologie de l'effort, de la lutte antidopage et de ses méthodes d'entraînements pour comprendre les tenants et aboutissants de l'affaire. Il y a bien des tentatives de mise à l'écart des liens avec les fédérations pour mettre de côté l'accusation des anciens présidents, mais rien n'y fait et il est temps de faire la 1ère pause pour prendre le temps de déjeuner, l'audience reprenant à quatorze heures. Il s'est agi de dresser le portrait et la personnalité du défunt médecin. Tour à tour, ce sont ses parents, son épouse, son mentor, Jean-Paul Douai, ainsi que Victor qui s'expriment pour dresser le portrait de cet homme affable, respectueux des autres, tout en étant ambitieux, autant pour lui que pour les autres, d'autant qu'il s'appuyait sur une technicité d'excellence, une compétence reconnue et une capacité à intégrer de nombreux savoir-faire, tels la science des statistiques, les supports informatiques. Chacun comprend alors que c'est un homme bon, qui a été supprimé, avant que les jours suivants permettent de se rendre compte que c'était aussi quelqu'un capable de porter des projets novateurs qui a été ciblé, notamment en raison de ce qu'il pouvait amener. Il est convenu de recommencer dès le lendemain avec l'audition prolongée de Victor Larcher, faisant de lui un témoin clé pour le procès, faisant suite à celle de son épouse. L'audience se conclut à dix-sept heures pour reprendre le lendemain à neuf heures trente. Il est d'abord question pour le président de revenir sur les circonstances de découverte du meurtre, les liant aux pièces à conviction, ce qui permet aux jurés de s'imprégner des détails du crime. Il est fait état d'un appel téléphonique anonyme le mercredi 2 septembre 1998 vers 21 h 30, signalant une activité très anormale au niveau de la maison où réside M. Gallopin, l'appel ne mentionnant que l'adresse, amenant la police municipale à y passer avant que ne soit appelé la police d'Arpajon en découvrant un homme au sol, inanimé. C'est le commissaire Clovis Mourdin, assisté de Bruno Maupuis, ainsi que de deux fonctionnaires de police qui procèdent aux premières constatations, tout en appelant la police technique et scientifique. Cette dernière rendra ses conclusions dans un rapport (pièce n° 1), avec notamment la présence d'empreintes digitales extérieures au couple résidant dans la maison, en l'occurrence celles de Victor et Marine Larcher (pièces n° 2 & 3), les dérangements, voire mise à sac de la maison en différents lieux, dont le garage, comme en témoignent une dizaine de photographies (pièces 4 à 13), mais évidemment le corps de la victime (pièce 14), la présence d'une couverture dans un endroit paraissant illogique (pièce 15), mais aussi des traces de pneumatiques différents devant la maison, correspondant à deux véhicules différents (pièces 16 & 17) qui s'avèrent être celles du défunt et de Victor Larcher, des traces prises en photo d'empreintes de chaussures, aucun moulage ne pouvant être fait, mais il en sera identifié pas moins de six différentes, et enfin un téléphone proche du cadavre (pièce n° 18) où est trouvé un texto (pièce n° 19). Le médecin légiste ne reste pas en marge et fixe la mort entre vingt heures quinze et vingt-et-une heures quinze, son rapport rendu plusieurs jours plus tard (pièce n° 20) sera plus précis quant aux causes de la mort, celle-ci étant provoquée par étouffement, même s'il n'y a pas d'empreinte au niveau du cou comme en témoigne une photo (pièce n° 21), alors qu'il y avait aussi une plaie peu profonde à la tête, pouvant initialement laisser penser à un coup fatal d'où encore une photo (pièce n° 22), celle-ci étant agrandie pour mettre en avant une fibre textile (pièce n° 23), qui se révélera être une fibre de couverture. Il est précisé qu'à la demande de Bruno Maupuis, devenu chef d'enquête par la suite par décision du juge d'instruction, une expertise supplémentaire a été produite (pièce n° 24), démontrant que la fibre textile provenait de la couverture retrouvée dans le salon, qu'il était plus que probable que la couverture a servi à isoler le corps suffisamment longtemps pour tromper le médecin légiste sur l'horaire du crime, celui-ci devant finalement avoir eu lieu entre dix-huit heures et dix-neuf heures. Il est enfin précisé, après avoir obtenu l'identité de la victime, que l'enquête de voisinage aura permis aux enquêteurs de se concentrer vers Victor Larcher, connaissance de la victime, dont la voiture, une Peugeot 806 rouge, a été décrite, présente d'environ vingt heures trente à plus de vingt-et-une heures. C'est la raison pour laquelle M. Victor Larcher a été interrogé dès six heures, le jeudi 3 septembre, et que sa maison a fait l'objet d'une perquisition, lors de laquelle la PTS a réalisé des empreintes de sa voiture (pièce n° 24) et celles de lui-même et de sa femme (pièces n° 25 et 26). Le président insiste donc sur le fait qu'il n'y a alors qu'un faisceau d'indices menant à M. Larcher, qu'il n'y a aucun mobile, qu'il existe encore des zones floues telles l'absence d'arme du crime, l'absence d'empreintes sur la victime, l'absence de sang dans la maison. Il informe ensuite le Tribunal : « Nous irons plus loin dans les circonstances du meurtre, mais je voudrais d'abord qu'on entende à titre de témoins le couple qui a été mis en cause en premier, alors qu'ils étaient des amis proches du défunt, c'est-à-dire le couple Larcher, en commençant par Marine Larcher, liée un temps par le message du texto déjà évoqué plus tôt, puis Victor Larcher, qui a même été mis en garde à vue et en détention, et qui pourra aussi nous éclairer sur le travail spécifique de Brice Gallopin, notamment pour lutter contre le dopage. Huissier, faites entrer le premier témoin pour aujourd'hui. »

Marine arrive jusqu'à la barre et répond aux questions du président, puis à celle de l'avocate générale et enfin aux questions de l'avocate de la partie civile, son amie Sylvie, les avocats de la défense n'ayant rien à lui demander, ce qui lui aura permis de préciser en quoi elle était amie avec le couple Gallopin, d'autant qu'ils étaient plus que satisfaits du travail réalisé en tant qu'architecte. Il lui était aussi possible de préciser qu'il était logique de trouver ses empreintes dans différents coins de la maison, y compris la chambre, dans laquelle il lui était arrivé de s'y rendre avec la veuve du défunt, ce qui est alors confirmé par l'intéressée. L'histoire du texto pouvant éveiller des suspicions est également vite réglée avec le fait que ce texte était sur le portable mais ne semble jamais avoir été envoyé, et de toute façon non reçu. La dernière question posée par Sylvie Michalon est la suivante : « Comme ma cliente, vous n'avez à aucun moment cru à la culpabilité éventuelle de votre mari ? »

« Tout à fait, cette idée même n'avait aucun sens ; il fallait voir la complicité qui unissait ces deux-là. Si je n'avais pas de certitudes intangibles sur le lien qui est très fort avec mon mari, sa relation avec Brice aurait de quoi rendre jalouse, mais au contraire, je savais que cela lui était plus que bénéfique. Sa mort l'a dévasté, même s'il n'en a pas toujours laissé paraître, et je sais que tu l'as sûrement remarqué, toi aussi ! » en dirigeant sont regard vers la veuve de Brice, Muriel acquiesçant et baissant légèrement la tête.

Le président remercie alors Marine et l'invite à s'asseoir dans l'assistance, deux places étant libres derrière la partie civile, puis invite l'huissier à faire entre le témoin suivant qui n'est autre que Victor. Ce dernier entre d'un pas décidé, approche de la barre, balaie du regard la salle, notamment en commençant par sa femme, puis son avocate, assise devant sa femme et à droite de l'épouse de Brice, puis plus loin, il y a la procureure d'Evry, du moins l'avocate générale ; la dernière fois qu'il a eu affaire à elle, elle ne lui était guère favorable ! Puis, il y a cinq jurés, une magistrate, le président reconnaissable entre tous, puisque pile en face de lui et avec la tenue d'hermine, et à droite un autre magistrat, avant de décompter à nouveau quatre autres jurés. Il reconnaît alors l'aspect théâtral de ses pensées durant sa garde à vue. Beaucoup d'images lui reviennent alors en mémoire et il sait qu'il les doit à certains des protagonistes présents plus encore à droite. Il ne les connaît pas tous, mais il ne peut ignorer les responsables de son ancienne équipe, ainsi que Wolfgang Cheskowic, ces trois-là fuyant son regard, ce qui n'est pas le cas d'Elvis Monroe ni de l'ancien président de l'UCI, alors que Lucien Wallon se tasse sur lui-même. Il arrive en quelques secondes à la barre, lève la main et décline son identité avant de jurer de dire la vérité, comme le président l'invite à le faire. Son allure est celle d'un ancien champion, plutôt svelte, même robuste, essentiellement lié au fait qu'il continue à s'entretenir, mais n'est plus aussi mince que peut l'être un coureur cycliste. Son ton est déterminé, la voix bien posée et on sent qu'il va vouloir aller à l'essentiel. Le président lui demande de revenir sur sa relation avec la victime, en essayant de ne rien omettre, ce qui permet à Victor d'apporter toutes explications utiles à l'assistance, et surtout aux jurés, pour comprendre la qualité du lien très particulier avec Brice. L'avocate générale, ayant très bien intégré qu'elle devait plutôt être son alliée qu'en opposition, les personnes à faire condamner étant en face d'elle et non à la barre, lui pose les questions qui permettent de manière définitive d'annihiler tout doute pouvant encore subsister du fait de la garde à vue et même de la période de restriction de liberté parce que considéré à tort par l'institution judiciaire comme potentiel suspect. Son discours et même ses questions ressemblaient à des excuses. Des avocats, côté box des accusés, ont bien essayé de le déstabiliser sur son lien avec son ami, mettant en avant qu'ils ne se soient trouvés dans la même équipe qu'en 1992, alors que cela aurait pu avoir lieu plus tôt. Victor explique que les choses sont ainsi, mais ils se croisaient depuis longtemps à l'INSEP, mais c'est surtout son envie de vouloir avancer plus sereinement dans la lutte antidopage qui a amené Brice à travailler avec lui, du fait de sa confiance énorme en lui. Au fil de son témoignage, chacun se rend compte que le lien à ce point étroit implique qu'il était impossible de considérer l'un comme assassin de l'autre, puisqu'il était établi qu'il y avait eu préméditation, même si le développement sur la véracité des faits devait être l'objet d'un autre temps du procès. Sylvie Michalon rajoute : « Du moment où vous avez été arrêté par la police jusqu'à la levée de votre mise en cause, en passant par la garde à vue, la prison et la liberté conditionnelle, est-il vrai que vous n'avez jamais eu qu'une seule version des faits vous concernant ? »

« Oui, j'ai toujours dit la même chose, qui n'est pas une version, mais la vérité que je connais me concernant. »

Le président reprend la trame du procès : « Maintenant que votre lien particulier est établi judiciairement, que vos rôles respectifs au regard du meurtre de Brice Gallopin ne prêtent plus à aucune confusion, je vais profiter de votre expérience et même d'une certaine façon votre expertise pour aborder le travail réalisé par votre ami, ce travail étant en lien étroit avec son assassinat, fournissant même un mobile pour certains des accusés. Mais avant, vous pouvez confirmer que vous êtes à l'initiative de la relance de la procédure ayant abouti à ce procès, d'autant que vous avez fait plus que collaboré avec la justice, retrouvant les données que votre ami avait mises de côté ? »

« C'est vrai que j'avais trouvé bizarre que le disque dur de son PC et son ordinateur portable aient disparu, ce qui m'avait laissé penser qu'il devait y avoir une raison essentielle. Par ailleurs, mes soucis récurrents avec le juge m'incitaient à penser à une machination. Je me suis alors rappelé le travail conséquent réalisé par Brice, impliquant des récupérations de données sur un nombre conséquent de sportifs, pas seulement chez les cyclistes, mais aussi le goût immodéré pour l'outil informatique et le fait de sauvegarder les données. J'en avais été tellement témoin, que j'imaginais qu'il devait y avoir au moins une sauvegarde qui me serait salutaire. Et c'est par hasard que j'ai eu le déclic pendant une compétition, vérifiant le soir même mon intuition, d'où la récupération des données que j'ai alors transmises au juge, non sans avoir réalisé des copies, qui m'ont permis de mieux comprendre les implications des uns et des autres ! »

« Et c'est ce que nous verrons cet après-midi après la pause déjeuner ! »

L'audience reprend à quatorze heures avec le récit de Victor sur l'essentiel visant le travail spécifique quant à l'entraînement qui se réfère aux connaissances les plus récentes visant la physiologie de l'effort et de fait la lutte antidopage, en apportant d'emblée la précision suivante : « Je me dois de préciser qu'avant de commencer ma carrière de cycliste professionnel, j'ai passé avec brio une licence de biologie et que j'avais été amené à côtoyer le mentor de Brice Gallopin en la personne de Jean-Paul Douai, qui m'avait déjà initié à la compréhension du lien existant entre performance sportive et puissance développée, ce qui m'a permis de mieux comprendre le travail mis en avant par mon ami, et c'est ce qui faisait qu'il aimait m'en parler, puisque j'étais à la fois sportif de haut niveau et non-novice sur le plan scientifique, en particulier dans le respect d'une certaine méthodologie, mais encore qu'il connaissait mon aversion, tout comme lui, pour le dopage. » Il explique ensuite la méthodologie utilisée par le médecin pour convertir les efforts, les performances en puissance développées, ce qui reste assez simple, mais essentiel à réaliser de manière très méthodique pour l'aspect reproductif, sans omettre de cibler les facteurs environnementaux qu'ils soient extrinsèques, comme le vent, le taux d'humidité, le poids du vélo ou de tout autre véhicule, etc. ou intrinsèques, tels le poids, la taille, l'âge, le sexe, la fréquence de pédalage ou d'appuis au sol, le positionnement, les braquets utilisés. Il précise que ce travail plus que fastidieux, avait eu deux enseignements essentiels : améliorer les séquences d'entraînement et améliorer la puissance développée, mais aussi une meilleure capacité de récupération, sans devoir faire appel au dopage, mais aussi mettre en évidence une équation entre la performance maximale pouvant être développée par un sportif en fonction de son IMC, et en intégrant les différents facteurs intrinsèques et extrinsèques. Cela lui vaut des questions de la part de la procureure, du président et de certains jurés, auxquelles il répond aussi précisément qu'il le peut. Il finit même par prendre à témoin Wolfgang Cheskowic, qui répond ainsi : « Je peux témoigner que le travail initié en 1992 avec Brice a été plus que profitable, mes performances en témoignent ».

« Et vous n'aviez pas recours au dopage alors ? »

« Pas encore, mais je trouvais que le résultat était encourageant, mais pas assez rapide au regard des efforts consentis. D'autant que mon rival principal explosait tous les compteurs, laissant à penser qu'il avait recours à d'autres techniques ! »

L'avocat d'Elvis Monroe s'insurge alors sur de telles affirmations. Ce à quoi le président lui répond, non sans humour : « Le nom de votre client n'avait pas été cité par son collègue, mais votre réaction ne laisse que peu de doute sur la véracité des propos de M. Cheskowic, et de fait sur les constats de la victime. M. Cheskowic, vous pouvez continuer ».

« J'ai donc eu recours au dopage et de fait mes résultats ont été boostés. Le travail avec le Dr Gallopin était formidable, mais pas assez rapide, d'où la fuite en avant, mais c'est vrai que c'était un génie dans sa partie ! »

Victor précise alors ses propos lors de la conférence de presse au début de la 3ème semaine du Tour de France1999, puisqu'il rapportait les propos de son ami : « Les roues ne tournent pas toutes aussi vite », faisant écho à ce qu'il comprenait de mieux en mieux avec le temps et l'étude des données. Puis, il finit par préciser que celles-ci ayant été plus qu'épluchées et disséquées, elles impliquaient qu'il a appris que de nombreux sportifs ont recours à une aide plus ou moins importante à la triche, quelle qu'elle soit, physique ou mécanique. Cependant, il était possible de modéliser cette démarche, d'où un atout non négligeable pour lutter contre le dopage, ce qui n'était pas du goût de tout le monde, tout en dirigeant son regard vers les dirigeants et les présidents de fédérations. Le seul à réagir timidement est Lucien Wallon, qui essaie de nier certaines évidences. Devant le manque de réaction de l'ancien président de l'UCI, Victor l'interpelle ainsi : « Sur l'enregistrement audio que Brice avait réussi à réaliser, c'est bien vous qui discutez avec deux autres personnes en indiquant qu'il ne faudrait pas que la lutte antidopage atteigne une zone dangereuse par rapport aux investissements consentis dans le cyclisme ? » Le président reprend le fil de la discussion : « Ce point sera abordé en son temps, mais j'ai lu les auditions et écouté les enregistrements disponibles et certifiés, et je peux affirmer au Tribunal qu'il s'agit bien de la voix de M. Casper, ce qui évitera à son avocat d'essayer de trouver une parade, qui n'a pas lieu d'être ! » À ce moment, Jan-Peter Casper est plutôt livide. Le président reprend : « La Cour remercie M. Larcher pour l'ensemble des éclaircissements apportés qui permettent de mieux comprendre le contexte dans lequel a eu lieu ce meurtre. Nous aurons l'occasion d'apporter encore des précisions, avec des experts, mais aussi avec le témoignage de coureurs cyclistes qui ne seront disponibles que lundi prochain, et en attendant je lève la séance du jour et vous donne rendez-vous à demain neuf heures trente. »

Ce mercredi 12 juin, Victor et Marine Larcher sont installés derrière la partie civile et assistent tous deux aux débats, mais surtout ils vont enfin comprendre comment s'est passé l'assassinat de leur ami qui devrait avoir cinquante-sept ans depuis six jours s'il n'avait été tué ce 2 septembre 1998. Le président lance l'audience en demandant au commissaire Clovis Mourdin de venir à la barre pour que celui-ci explique le début de l'enquête, même si des faits avaient été énoncés lors du début du procès, mais il fallait remettre les jurés dans le bain. À la fin de son témoignage, le policier se tourne vers le couple Larcher : « Je tenais à m'excuser personnellement pour le traitement qui vous a été réservé, sous ma responsabilité, et plus particulièrement à vous M. Larcher. J'étais bardé de certitudes, dont celle que vous étiez coupable et je n'ai pas fait preuve du recul nécessaire dans la gestion de cette enquête, d'où le choix du magistrat de changer de chef d'enquête en cours de procédure. De plus, je reste doublement admiratif ; d'abord que vous ayez pu à ce point aidé la justice, qui ne vous avait pas considéré au mieux, et ensuite parce que vous avez su rebondir dans votre fin de carrière sportive ». Victor fait un geste de la tête, signifiant l'acceptation des excuses. C'est ensuite au chef d'enquête suivant, Bruno Maupuis, d'expliquer la partie de l'enquête qu'il a dû mener, incluant la mise à disposition de données par Victor Larcher, les interrogatoires qui ont suivi et les expertises nécessaires par la suite, avant d'aboutir à l'arrestation à l'automne 1999, y compris à l'étranger, des meurtriers présumés de la victime. Peu de questions lui sont posées, du fait de la clarté de l'exposé. C'est au tour du juge Bouille de venir exposer le résultat de son instruction. Il finit par s'adresser de cette manière :

L'ensemble des pièces du dossier, les analyses des données, notamment des enregistrements audio, et les différents interrogatoires ont permis de déterminer l'enchaînement des évènements amenant au décès de M. Brice Gallopin. Ce que nous savons avec certitude, qui figure dans le dossier d'inscription, et qui a été retenu par la chambre d'accusation se réfère à la chronologie telle qu'elle suit. Les quatre individus, ici présents dans le box des accusés, soit Fabrice Bourgeois, de nationalité française, Luc Derruinck, de nationalité belge, Franck Schmidt, de nationalité helvétique, et Pascal Grangier, de nationalité française et de fait le responsable revendiqué de la petite troupe, arrivent vers quatorze heures trente le mercredi 2 septembre au domicile du couple Gallopin, dans une partie tranquille et peu habitée de Limours, petite ville de l'Essonne, très proche du sud-est des Yvelines. Ils savent que Mme est en déplacement professionnel à Lyon et que Monsieur est encore dans les bureaux de l'INSEP. Après avoir pris soin de disposer un Peugeot 806 rouge à distance raisonnable de la maison, ils forcent l'entrée et entreprennent une fouille méthodique dans les pièces de la maison, en insistant dans la chambre du couple, le bureau et le salon. Après une heure trente de fouilles infructueuses, Pascal Grangier joint alors par téléphone portable, dont il se débarrassera par la suite, une autre personne que nous appellerons le commanditaire du forfait. L'instant d'après, un coup de téléphone avec le même portable est donné au médecin, lui précisant que Victor Larcher lui demandait de le rejoindre à son propre domicile, mais en anticipant leur rencontre initialement prévue à vingt heures trente, Victor ayant un petit souci lié à sa famille plus urgent à gérer le soir même. À partir de là, les quatre compères se divisent en deux groupes, Fabrice Bourgeois et Franck Schmidt prenant la voiture pour se mettre à l'affût sur la route d'accès, sachant qu'ils devraient disposer d'environ deux heures, du fait de la distance entre l'INSEP et Limours et la circulation francilienne dans cette tranche horaire. Pendant ce temps, les deux autres comparses préparent le terrain, en fermant les volets et/ou en tirant les rideaux pour pouvoir être à l'abri de regards potentiellement indiscrets, mais aussi de manière à pouvoir interroger le médecin, quitte à devoir l'impressionner. Ils ont la consigne de devoir à tout prix récupérer les données tant recherchées. Vers dix-sept heures quarante-cinq, la voiture du médecin est interceptée par les deux comparses en attente sur la route, puis le médecin est menacé avec une arme à feu de manière à rouler vers sa maison, où il est amené assez rapidement. Dès qu'il entre dans sa maison, il est pris en charge par les deux autres malfaiteurs, qui le ligotent sur une chaise, en veillant à bien serrer les liens, le tout sans paroles et en essayant de lui donner l'impression que la situation va être tendue et potentiellement dangereuse. Pendant ce temps, la voiture du médecin est éloignée pour être mise de côté, au même titre que le véhicule des accusés. Une dizaine de minutes plus tard, tout ce petit monde est autour du malheureux Brice Gallopin, Pascal Grangier lui demande fermement où se trouvent les données qu'il détient quant à son travail sur l'entraînement des sportifs, mais aussi des enregistrements audio et vidéo qu'il aurait réussi à réaliser, en plus du code d'accès à son ordinateur. Dans un premier temps, Brice Gallopin ne dit rien, ce qui se traduit rapidement par des gifles, puis des coups assénés au niveau de l'abdomen, le début du calvaire durant bien cinq minutes. Il semble que le médecin comprend qu'il n'a aucun intérêt à révéler quoique ce soit, ses bourreaux ayant l'air décidé à le faire disparaître, une fois qu'il aura craché tout ce qu'ils veulent entendre, ce qui dénote une volonté et une sagesse indéniables. Un des agresseurs sort alors un couteau, occasionnant tout de suite la réprobation du leader. Brice comprend alors qu'il a un coup à jouer, expliquant qu'il tenait à la vie et qu'il fallait lui enlever ses liens, de manière à ce qu'il montre comment accéder à ses données sur l'ordinateur, mais aussi les guider vers les sauvegardes informatiques. Ses liens sont dénoués avec beaucoup de prudence. Il indique qu'il faut aller dans le bureau pour avoir accès à son PC, mais qu'un dispositif doit être nécessairement activé dans le garage pour que le PC soit opérationnel. Tandis que Pascal Grangier et Fabrice Bourgois montent vers le bureau, Luc Derruinck et Franck Schmidt l'accompagnent vers le garage. Sitôt arrivé dans le garage, il saisit un tournevis, vise celui qui est juste derrière lui, mais ce dernier fait au dernier moment un quart de tour, ce qui se traduit par le tournevis planté dans le bras gauche du Suisse, le déséquilibrant de manière simultanée. Brice Gallopin essaie alors d'aller vers la porte du garage, dans l'idée d'aller sûrement chercher du secours, mais le flamand est plus prompt que lui et lui assène un coup de crosse de son pistolet à l'arrière du crâne. Le médecin s'écroule immédiatement et se retrouve inerte sur le sol. Alertés par le boucan, les deux autres comparses se précipitent et ils comprennent assez vite ce qu'il s'est passé. Pascal Grangier demande à Luc Derruinck de ne pas chercher à enlever le tournevis de son bras, de se calmer et de respirer tranquillement, tandis qu'il se penche au-dessus du corps du médecin. Il n'y a pas de doute à avoir, puisqu'il ne respire plus, mais chose étrange, il y a une plaie peu marquée au niveau de l'impact de la crosse de l'arme, mais il n'y a que très peu de sang, et surtout même pas par terre. Il est alors environ dix-huit heures dix, et le responsable du groupe a le réflexe de demander à ses congénères d'enrouler le cadavre dans une couverture, qui se trouvait à deux mètres de là, tandis qu'il appelle le même commanditaire. Après l'appel, les quatre sinistres individus mettent en place ce qui sera le piège dans lequel Victor Larcher allait tomber. Un étranglement est pratiqué post-mortem, de manière à induire en erreur les techniciens de la police, au même titre qu'en ayant recours à la couverture, puis le cadavre est déplacé dans le salon. Ils font en sorte qu'un désordre existe pour qu'on puisse penser à une bagarre qui tourne mal. Évidemment, chacun avait des gants, d'où l'absence d'autres empreintes que celles retrouvées par la PTS. Le véhicule du médecin est alors récupéré, garé devant le garage, cette partie de la maison n'étant pas visible des voisins, pour autant assez distants. Le disque dur du PC et l'ordinateur portable, rangé dans la sacoche de la victime, sont récupérés et placés dans le véhicule, puis trois des brigands roulent pour se caler au niveau du véhicule qu'ils avaient volé et qui était en contrebas de la route un peu plus loin. Pascal Grangier est celui qui est resté dans la maison, s'assurant que tout soit fermé, clos quant aux fenêtres et portes et lumières éteintes et que le portable du médecin soit coupé. Il est environ dix-neuf heures quinze quand tout ce petit monde est prêt à attendre l'arrivée de Victor Larcher. Ce dernier arrive vers vingt heures trente, gare sa Peugeot 806 à proximité de la maison de son ami, dans cette partie encore visible pour les voisins, fait le tour de la résidence, insiste sur les ouvertures, fait les cent pas, téléphone avec son portable, celui de Brice Gallopin ne répondant évidemment pas. Il s'impatiente, refait le tour et finit par remonter dans son véhicule environ un quart d'heure plus tard. Pascal Grangier, après s'être assuré de la réalité du départ de Victor Larcher, remet en marche alors le téléphone portable de M. Gallopin et il est environ vingt heures cinquante quand il écrit le fameux SMS censé mettre en cause la femme de Victor Larcher, même si ce message ne sera pas envoyé. Il sort ensuite de la maison, rejoint ses comparses, monte dans un des véhicules, ceux-ci se dirigeant vers la maison. La voiture du médecin est placée devant le garage, la Peugeot 508 placée au même endroit que celle de Victor Larcher plusieurs minutes auparavant. Les malfaisants retournent dans la maison et font un minimum de bruit, pour être sûrs qu'un voisin regarde vers la maison, ce qui semble être le cas puisqu'une lumière s'allume dans la maison distante d'environ cent mètres. Ils attendent que la lumière s'éteigne, le cadavre est sorti de la couverture dans laquelle il était enroulé, celle-ci étant mise à distance respectable, mais aucun ne pourra voir la fibre restant au niveau de la plaie. La justice est redevable à cette toute petite erreur. Il est environ vingt-et-une heures et vingt-cinq minutes lorsqu'ils referment la maison, reprennent la route dans leur Peugeot 806 volée dans la journée, après avoir transféré l'ordinateur portable et le disque dur du PC, puis c'est le moment où l'appel supposé d'un voisin est passé à la police, éteignant ensuite le portable. Ils roulent ensuite en direction de la banlieue parisienne, traversent la petite bourgade de Gometz-la-Ville et en profitent pour jeter le portable dans le cours d'eau nommé « La Salmouille ». Ils se planquent pendant environ trois à quatre jours, s'assurant de soigner le bras du blessé, étant vigilants à bien désinfecter la plaie. Après que Pascal Grangier a pu entrer en contact avec celui qui pouvait leur fournir la somme d'argent conséquente pour l'opération convenue, sachant qu'il aura fallu obtenir une rallonge, puisqu'il n'était pas nécessairement prévu qu'il y ait des complications, les quatre criminels pouvaient ainsi se séparer et aller chacun vaquer à leurs autres coupables activités, sans être inquiétés par la police avant la fin de l'été 1999. Le juge insiste que c'est à force de recouper quelques informations liées aux interrogatoires de différents acteurs du dossier, que les enquêteurs ont pu déduire que le contact des criminels était le directeur commercial de l'équipe dans laquelle exerçaient Victor Larcher et Brice Gallopin. À partir de là, le nom de

Pascal Grangier a été identifié et le travail de police classique a permis de mettre un nom sur les trois complices. Il reste à s'assurer de savoir combien de personnes doivent être considérées comme commanditaires de ce meurtre, mais au moins la vérité est faite quant à la réalité du meurtre de M. Brice Gallopin.

Quelques essais de contestations, plus à titre d'effets de manche, sortent du côté des accusés par leurs avocats respectifs, mais ces tentatives font chou blanc, l'avocate générale les ramenant à leur juste place, tout en insistant qu'il était maintenant nécessaire de définir les responsabilités des uns et des autres. De leur côté, Victor, Marine et Muriel Gallopin connaissent maintenant la vérité sur la mort de cet homme qui ne voulait que le bien autour de lui ! Ils quittent alors le tribunal pour aller se sustenter, le cœur plus léger.

L'après-midi est le temps essentiel où l'ensemble des psychiatres experts se prononcent sur l'état de chaque accusé. Il en ressort que toutes les personnes présentes dans le box des accusés ne pourront s'abriter derrière l'excuse d'irresponsabilité au moment des faits qui pourraient leur être reprochés. Avant la fin de l'après-midi, les avocats des coureurs cyclistes, des administratifs de l'ancienne équipe de Victor Larcher, mais aussi des présidents de fédération, mettent en avant qu'ils comprennent de moins en moins ce que leurs clients respectifs font dans le box, aux côtés de criminels qui n'ont pas hésité à assassiner un médecin après l'avoir torturé. Le président les calme tout de suite en précisant que l'enquête avait déjà identifié un commanditaire, mais qu'il apparaissait légitime de lever une zone obscure autour de l'existence d'un ou plusieurs acteurs allant dans ce sens. Nous avons quelques pistes, mais nous les développerons dès demain matin. Il clôt alors l'audience. Sitôt la fin de l'audience, les médias se bousculent pour obtenir les observations que peuvent faire autant la famille Larcher que la veuve de la victime, assistée de son avocate. Il y a au final peu de commentaires de leurs parts, même s'ils mettent fortement en avant qu'une grande part de la vérité est maintenant connue, mais qu'il reste à y voir plus clair dans les intérêts que certains pouvaient avoir en organisant ce meurtre, mais aussi tout un trafic au sein du monde sportif. Cela suffit à ce que les médias, si peu enthousiastes à soutenir Victor Larcher initialement, soient dithyrambiques à son égard, le plaignant même d'être passé par la case « prison » et allant même jusqu'à imaginer qu'il est possible de lutter efficacement contre le dopage, cet aspect étant à vraiment prendre en compte dans ce dossier. Certains vont même jusqu'à une certaine clairvoyance selon laquelle les journalistes, via les médias les employant, pourraient être en partie complices de telles malversations, d'où l'attente des développements à venir dans les audiences suivantes, pouvant encore mieux éclairer les errances d'un tel système.

Jeudi 13 juin : c'est au tour des hommes de l'ombre d'être dans la lumière, du moins pas celle qu'ils affectionnent. La première évidence est que le directeur commercial de l'ancienne équipe de Victor est celui avec lequel Pascal Grangier a communiqué avant, pendant et après le forfait. Mais Gilles Degrest, c'est son nom, est-il le seul à avoir pris ce type de décision ? Le président, comme l'avocate générale, est persuadé du contraire. Tour à tour, Gilles Degrest, Jan-Peter Casper, Lucien Wallon et Bernard Grizard, patron de l'ancienne équipe et sponsor principal, autant qu'actionnaire majoritaire, sont interrogés de façon très incisive. Leurs avocats respectifs essaient bien d'instiller le doute dans les esprits, mais les évidences finissent par s'imposer. Non seulement Gilles Degrest ne peut être le seul intervenant quant à la décision de recourir à une solution criminelle d'un tel niveau, mais semble être surtout un intermédiaire. Au fil de l'avancée des débats, Jan-Peter Casper pourrait passer de plus en plus comme un chef d'orchestre, faisant même poser la question d'un lien plus ou moins direct avec la pègre internationale. Il est apparu qu'il avait une connaissance commune avec Luc Derruinck, même s'il s'en défend. Lucien Wallon apparaît plutôt perdu au milieu de tout ce monde, mais semble étranger à l'issue criminelle, mais plus présent dans la facilitation du dopage, plus ou moins organisé. Et quelle place pour Bernard Grizard, le plus discret et même le moins volubile, laissant plus facilement réagir ses avocats ? D'ailleurs, lors d'une de ses rares prises de parole, Victor tique un peu et glisse une remarque à Sylvie Michalon, qui lui répond qu'elle saura comment gérer la situation dans les jours prochains. Quoiqu'il en soit, rien n'est définitif, mais les choses semblent se préciser : Lucien Wallon est lié plus ou moins au dopage, mais pas plus, alors que les autres soutiennent et sont plus partie prenante dans un dopage organisé, Gilles Degrest ayant pris part à la solution visant à récupérer les données en possession de Brice Gallopin, mais quid de Jan-Peter Casper et Bernard Grizard dans la décision finale ? Il reste du temps pour se faire une idée.

L'audience reprend l'après-midi, de manière à continuer sur le sujet, mais aussi en s'intéressant à la place des coureurs dans l'affaire. Le témoignage de Fabrice Dufnac, ainsi que quelques confidences d'autres coureurs au chef d'enquête lors de la 2ème journée de repos sur le Tour de France 1999, avait permis l'arrestation de l'ensemble de l'équipe dans laquelle Wolfgang

Cheskowic courait. Les saisies de produits, les interrogatoires auront permis de mieux comprendre le dopage tel qu'il était organisé, et pas à petite échelle. Le patron, Bernard Grizard, en plus d'être actionnaire majoritaire et sponsor principal de l'équipe de Victor Larcher, avait investi fortement dans une autre équipe. Les enquêteurs se posaient la question d'autres investisseurs, pour lesquels il agirait, mais le dossier avait été transmis à une autre structure d'enquête, portant plus sur le dopage et le blanchiment d'argent. Les cadres de cette équipe seront d'ailleurs inquiétés par cette structure judiciaire ad hoc. Par contre, le point commun entre les deux équipes, hormis Bernard Grizard, était bel et bien l'ancien numéro 1 mondial de nationalité polonaise. Devant tant d'éléments, celui-ci avait flanché en garde à vue en 1999 et expliqué l'ensemble du fonctionnement. Dans l'équipe où il courait avec Victor, il s'occupait avec Gilles Degrest de son dopage, profitant de certains stages d'entraînement pour faire appel au fameux médecin italien. Profitant de la mise en cause de Victor Larcher et avec la diatribe du président de l'UCI, il avait été décidé d'accélérer le mécanisme. D'où la création d'une équipe autour de lui-même, ainsi que deux à trois coureurs favorables au recours à un style de dopage, un financement plus conséquent pour mieux masquer les résultats par un investissement, notamment en matériel, le recours officiel au médecin suspecté de dopage et un dispositif implacable. Il choisissait avec le manager les coureurs devant augmenter leurs performances, tel Fabrice Dufnac, ces mêmes coureurs n'étant pas volontaires, mais au moins cela allait vers plus d'homogénéité des résultats. Il insistait aussi sur le rôle des agents de coureurs, voire de leur famille, qui pouvaient faire office de pare-feu vis-à-vis des médias, mais aussi des structures de lutte antidopage. Il avait même fini par lâcher le nom d'Elvis Monroe, comme ayant eu recours aussi au médecin italien sulfureux, d'où son arrestation le jour de l'arrivée du Tour de France. Ces deux anciens champions avaient été suspendus pour au moins deux ans, ce qui avait scellé leur sort et du moins leur carrière. La question restait entière quant à leur participation au crime du 2 septembre 1998. Après les échanges du jour, on pouvait être amené à penser que Elvis Monroe n'était coupable que de s'être dopé, alors qu'il en était de même pour Wolfgang Cheskovic, mais jusqu'où pouvait-il s'être fourvoyé, vu ses liens avec les cadres des deux équipes, le fait qu'il a été initiateur du développement de l'équipe dédié au dopage laissant encore perplexe. Il faudra que les journées restantes du procès apportent des réponses.

Victor ne pouvait être en retard pour les audiences du vendredi 14, celles-ci étant dédiées aux experts médecins et scientifiques spécialisés sur la physiologie musculaire ou les mathématiques appliquées à la biologie médicale. Il allait pouvoir, tout autant que chaque juré, mais aussi l'assistance et les médias qui pourront alors relayer au plus grand nombre, savoir si le travail réalisé par son ami pouvait trouver un début de validation par la communauté scientifique. Le premier expert appelé à témoigner était le doyen de la faculté de médecine, Hubert Prébert, professeur agrégé de cardiologie et de réadaptation dans le cadre des pathologies cardiaques. Ayant eu les données compilées par Brice Gallopin, il n'avait aucun mal à conclure que ce travail était d'une très grande rigueur scientifique, que les observations ainsi réalisées permettaient de partir très raisonnablement sur les hypothèses retenues par le médecin émérite et que, pour finir, il y avait un lien étroit entre le travail réalisé en termes d'entraînement à l'effort et la mise en évidence de facteurs entrant dans l'étude de l'effort, cette démarche allant nécessairement plus loin que le travail de réadaptation des patients devant récupérer une fonction cardiaque satisfaisante. Les experts suivants étaient au nombre de trois, en l'occurrence Nathalie Beauregard, docteur en biologie cellulaire, Joachim Burdof, spécialiste du cycle de Krebs et Nathan Berger, chirurgien orthopédique spécialisé dans les traumatismes musculaires du sportif. Là encore, leurs conclusions sont plus que convergentes, précisant que les hypothèses de travail de M. Gallopin s'appuyaient sur des réalités scientifiques plus que fiables quant au mécanisme énergétique, tant cellulaire qu'organique et qu'il était plus que vraisemblable de déterminer un niveau maximum de puissance à développer en fonction de l'énergie disponible. Ils émettent juste des réserves sur la mise en équation, cet aspect n'étant pas de leurs compétences. Dans l'après-midi, Françoise Hubort et Michel Puydebol confirment, du fait de leur expertise médicale en préparation physique, qu'il leur semble possible de mettre en équation les différents critères listés dans les travaux de la victime. Leurs expériences croisées sur le travail d'entraînement, en natation et à vélo, notamment pour d'autres disciplines sportives, les amènent à valider l'ensemble des facteurs, intrinsèques et extrinsèques, listés, et sont très positifs pour une exploitation, tant dans une préparation optimale de la performance que pour la lutte antidopage. Certains jurés leur posent des questions directes, les amenant à préciser qu'une telle méthodologie serait susceptible de modifier fondamentalement la préparation physique des sportifs en général, amenant même à rendre plus égalitaire la démarche, contrairement à ce qu'il se passe maintenant avec des pays plus favorisés que d'autres du fait d'investissements matériels et humains plus aisés. Enfin, le dernier expert appelé, le mathématicien et informaticien passionné de sport de haut niveau, Francis Decoeuvre, affirme que l'équation mise en évidence par Brice Gallopin est juste, qu'elle peut être légèrement améliorée, mais seulement à la marge, et qu'elle peut être en soi une vraie révolution dans le monde du sport. Les personnes présentes sont abasourdies, puisqu'elles ont maintenant l'information que le travail de la victime est plus que fondée, mais que cela représente un réel mobile. On connaît donc les acteurs directs, on a le mobile, il reste juste à préciser le rôle des uns et des autres côté accusés, et même prolonger les résultats de ce procès vers une action positive, ce qui pourrait être finalisé lors des journées d'audience restantes.

Victor et Marine invitent Muriel, ainsi que Sylvie à un repas le samedi. C'est aussi l'occasion pour Perrine, leur fille de quinze ans, de partager du temps avec Julien, le fils de Sylvie, qui a douze ans et avec lequel elle s'entend très bien. La soirée est étonnamment détendue, chacun ayant besoin de penser à autre chose, si bien que finalement tout le monde reste dormir sur place, les deux adolescents étant satisfaits de la situation. Le lendemain les rejoignent les parents de Victor et ceux de Marine, ainsi que le frère de celle-ci avec son épouse et ses deux enfants. Le barbecue, et sa prolongation dans l'après-midi, fait l'objet de moments de jeux entre les quatre enfants, mais aussi des discussions apaisées autour du procès entre les 9 adultes. Tout ce monde se sépare et les adultes se donnent rendez-vous pour le lendemain pour la suite du procès, hormis les parents de Marine, qui restent sur place, les autres résidant dans la région parisienne contrairement aux Normands.

Le Dauphiné Libéré venant de se terminer et le Tour de Suisse ne commençant que le lendemain, c'est ce lundi 17 juin au matin que seront auditionnés deux coureurs, dont les témoignages sont en capacité d'éclairer les débats alors que celui arrive dans sa dernière ligne droite. La salle d'audience est pleine, lorsque le président, ses assesseurs et les jurés reprennent place. Le président ouvre la séance en espérant que chacun a pu se ressourcer durant le week-end et demande qu'on fasse entrer le premier témoin de la journée. Il s'agit de Fabrice Dufnac. Il précise alors ce qu'il a vécu de l'intérieur, d'abord quant à ses excellents rapports avec le Dr Brice Gallopin, le lien particulier avec le champion Victor Larcher, qui a toujours cru en ses capacités et qui l'avait déjà fait progresser, alors même qu'il était impatient. Il ajoute qu'il n'avait pas les mêmes rapports avec Wolfgang Cheskowic, leader de l'équipe, mais qu'il s'est laissé convaincre d'aller vers une nouvelle équipe pour gagner du temps et en ayant un peu peur de ce qu'il se passerait en restant aux côtés de M. Larcher. Il le regrettera assez vite, ayant pris conscience qu'il était tombé dans un piège, où il était sûr que le dopage était présent. Il s'en était confié à Victor Larcher, avait suivi les conseils de ce dernier, mais avait aussi fait analyser la boisson qui lui était donnée en compétition ou à l'entraînement, confirmant ainsi le recours au dopage. Il finit par préciser qu'il avait eu des doutes sur la gestion de la performance de son leader dans l'équipe précédente, celui-ci ayant eu l'habitude d'aller consulter le médecin italien de renommée délicate. C'est pour cela qu'il avait contacté la police avant la conférence de presse de Victor pendant le Tour de France, ce qui avait eu comme conséquence le coup de filet massif en juillet 1999. Sa collaboration avec la justice lui aura valu de ne pas être poursuivi par la justice et de n'écoper que d'une suspension de principe jusqu'à la fin 1999. Ses performances et les contrôles réalisés depuis avaient démontré que son errance vis-à-vis du dopage n'avait pas été poursuivie.

Quelques questions permettent d'apporter quelques précisions, avant que l'avocate de la partie civile ne demande la parole :

« Monsieur le président, est-il possible de faire écouter l'enregistrement audio classé n° 2 ? »

« Maître, puis-je vous demander pourquoi ? »

« Dans cet enregistrement, il a été possible d'identifier messieurs Gilles Degrest, confondu un temps avec la voix du président de la FFC, et Jan-Peter Casper, alors qu'il y a un troisième homme, moins audible, l'enregistrement ayant été fait à une quinzaine de mètres, et non cinq comme imaginé initialement, dans un couloir d'hôtel en Espagne quelques jours avant la mort de la victime, et il est possible que cette voix puisse être reconnue par le témoin. »

« Soit, M. Dufnac, soyez attentif au passage qui suit ! »

Le passage en question permet d'entendre le président de l'UCI répondre au directeur commercial de l'équipe pour laquelle travaillait le médecin assassiné qu'en effet il serait bon de court-circuiter l'empêcheur d'avancer, et ce avec une certaine inquiétude devant l'obstination de celui-ci, avant que n'intervienne le troisième personnage, dont la voix était en effet moins audible, malgré le travail de la police scientifique : « D'autant que les investisseurs que je connais sont de plus en plus impatients pour passer à la phase 2, qui devrait permettre de rentabiliser les sommes engagées depuis plus de quatre années ! » et alors que l'extrait continuait, le coureur fait un geste rapide d'acquiescement avec la tête, d'où l'interpellation du président du tribunal : « M. Dufnac, avez-vous reconnu avec certitude la voix de quelqu'un que vous connaissez ? »

« Je crois bien que oui, monsieur le président. »

« Il ne s'agit pas de penser, mais d'être certain ! »

« Alors, je peux… affirmer qu'il s'agit de M. Bernard Grizard, que j'ai été amené à croiser dans les deux équipes. »

« Qu'est-ce qui vous rend si sûr de vous ? »

« Cette façon très particulière qu'il a de prononcer les "p". »

L'avocate Sylvie Michalon intervient alors : « C'est ce que m'avait indiqué M. Larcher lors de la première écoute, alors qu'il n'y avait pas fait attention lorsqu'il avait eu l'enregistrement dans ses mains, mais aussi après qu'il a été appelé comme témoin. L'enregistrement, ainsi nettoyé des parasites, peut-il être mis de côté pour être présenté au coureur suivant ? »

« Je n'y vois absolument aucune opposition, cela me semble même une très bonne idée, et j'invite le témoin à prendre place dans la salle s'il s'en trouve encore une et je demande qu'on fasse entrer le témoin suivant. »

C'est au tour de Laurent Douaneau de se rendre à la barre, d'expliquer les liens qu'il avait avec la victime. Évidemment, toute l'assistance attend avec impatience la réponse par rapport à l'enregistrement audio. Ce qui n'empêche pas Laurent de continuer à dire le plus grand bien qu'il pense du travail réalisé avec Brice Gallopin, persuadé qu'il a été crucial dans l'amélioration de ses performances, alors que Victor Larcher l'avait été tout autant dans l'apprentissage de la science de la course. Il affirme également que ce dossier aura aussi permis de faire du nettoyage dans le peloton, et qu'il serait bon que la mort d'un homme de bien serve à prévenir toute rechute, ainsi que de progresser dans la lutte antidopage, quels que soient les sports. Vient évidemment la question sur la voix à reconnaître sur l'enregistrement proposé. Il finit lui aussi par être catégorique et identifier M. Bernard Grizard, qu'il a régulièrement croisé pendant plusieurs années et qui a bien une façon propre à lui de prononcer les « p ».

« M. Grizard, il m'apparaît difficile de nier être le troisième homme de cette conversation ! »

Un avocat essaie bien de bredouiller une défense quelque peu inaudible, le président reprend alors de plus belle : « Nous savons maintenant à peu près qui faisait quoi. M. Casper semblait vouloir que les actions de M. Brice Gallopin cessent, ce qui était en jeu depuis des années, ce qui peut déjà passer pour une commande particulière, M. Degrest devant se charger de l'organisation, mais il semble que le commanditaire principal soit vous, M. Grizard ! À moins que vous n'ayez des révélations à nous faire ! »

Si un avocat était tenté de réagir, Bernard Grizard lui mit la main sur l'épaule, ce qui se traduit alors par un silence gêné de l'avocat, mais aussi et surtout par un silence pesant. Le président reprend alors le flambeau : « Il appartiendra aux jurés de se faire leur opinion, mais aussi à la juridiction qui vous entendra sur fond de dopage, même si nous y reviendrons cet après-midi. D'ici là, je souhaite un bon appétit à chacun et vous retrouve à quatorze heures, l'audience étant levée ! »

L'après-midi, des médecins en charge de la lutte antidopage viennent expliquer, une fois que les travaux et la démarche de Brice Gallopin ont été disséqués et plus que validés, pourquoi il sera nécessaire de s'y référer pour lutter contre le dopage. Ils précisent même qu'il serait temps de s'en inspirer, histoire de ne plus être en réaction vis-à-vis de l'industrie du dopage, mais à l'offensive. En répondant à un ensemble de questions, ils appuient l'idée que récupérer au moins les données, voire éliminer le grain de sable plus que gênant, apparaissait comme un mobile plus que sérieux.

Le mardi 18 juin, ce jour même où Paul Mc McCartney fête ses soixante ans, le matin permet de mieux se rendre compte en quoi le dopage pèse dans le cyclisme, mais pas seulement, ainsi que différents intérêts croisés. Ainsi, il est admis que le dopage n'est pas nouveau dans le sport, et dans le cyclisme en particulier. S'il a été question pendant longtemps d'aider le compétiteur à supporter des charges de travail a priori inhumaines, nous en sommes là à un tournant considérable, puisqu'il s'agit de réduire, voire annihiler l'aléa du sport, qui en fait sa beauté, pour satisfaire aux appétits des investisseurs, qui financent cette activité comme n'importe quelle action cotée en bourse. De là à imaginer de recourir à des produits toujours plus innovants, permettant de choisir quel sera le champion gagnant à coup sûr, même si c'est loin d'être le meilleur initialement, mais aussi en recourant à une sophistication du matériel ou des méthodes d'entraînement demandant des finances très élevées, d'où une inégalité d'accès à la réussite sportive au final, le pas était en train d'être franchi. Il y avait donc intérêt à ralentir, et même rendre nulle une telle trajectoire. Pour autant, il fallait être conscient de l'existence d'intérêts croisés : le besoin d'argent s'explique d'abord par la nécessité que le sportif de haut niveau, a fortiori s'il est professionnel, soit rémunéré à un niveau satisfaisant, le besoin d'investir pour certains permettra de remplir ce premier besoin, mais il faudra un retour sur investissement avec une amélioration de la productivité du sportif, ce qui implique plus de visibilité de l'effort et de plus en plus de performances, d'où la nécessité minimale du dopage, mais aussi plus d'argent par les droits de retransmission, les acteurs audiovisuels étant également demandeurs d'un retour sur investissement quitte à fermer les yeux sur des invraisemblances de résultats. On a donc un cocktail détonant dans lequel chaque acteur a peu d'intérêt à modifier l'équation, à commencer par les agents des sportifs, qui ont tellement à gagner avec la poule aux œufs d'or ! Alors, quand des requins veulent passer à la vitesse supérieure, faisant du sport une activité libérale comme une autre, il est presque trop tard pour faire marche arrière, sauf si un grain de sable venait à proposer la solution qui enrayerait le mécanisme huilé ainsi pensé en amont. Voilà pourquoi, il est évident que le travail de Brice Gallopin devait être interrompu, et à défaut de court-circuiter le travail engagé, il était nécessaire de se débarrasser du personnage, quitte à profiter d'un crime d'opportunité : il y avait bien un mobile de meurtre dans ce dossier, pour lequel des responsabilités étaient plutôt bien établies et les faits alors identifiés, d'où la possibilité de passer au réquisitoire et aux plaidoiries, une autre juridiction devant gérer la partie liée directement au dopage.

L'après-midi même, le président invite l'avocate générale à procéder à son réquisitoire. Elle commence alors un long rappel des faits connus, à l'appui des différentes pièces du dossier, insiste sur les réponses évasives de certains accusés, sur le fait qu'une juridiction est déjà ou sera à nouveau saisie pour poursuivre l'instruction en matière de dopage et de potentiels conflits d'intérêts, ou encore sur des témoignages valant preuves durant l'audience. Elle insiste sur la bonne tenue des débats, eu égard à la gestion par son président et s'apprête à clore son réquisitoire par les demandes liées aux différents accusés, mais se tourne d'abord vers Victor Larcher : « M. Larcher, l'institution judiciaire n'a pas été tendre avec vous et vous l'avez remerciée à votre manière, en collaborant et en permettant grandement à faire jaillir la vérité. J'ai été personnellement, comme procureure d'Evry à l'époque, un des rouages désagréables à votre égard, et si je ne peux m'exprimer au nom de l'institution judiciaire, je vous adresse mes plus plates excuses à titre personnel… »

Quant aux réquisitions à proprement parler, il apparaît clairement que messieurs Bourgeois, Derruinck, Grangier et Schmidt sont les auteurs d'un cambriolage, de faits de tortures, d'un homicide de la part de M. Schmidt, de faits aggravants pour M. Grangier du fait de l'étranglement post-mortem et de complicités pour les autres et de dissimulation de preuves pour l'ensemble, mais aussi que M. Degrest soit le commanditaire de la séquestration, ainsi que de la dissimulation de preuves, sans oublier le rôle affirmé par l'enquête et les audiences de M. Casper, alors président de l'UCI et celui non négligeable, c'est le moins qu'on puisse en dire, de M. Grizard, qui a, de plus, une attitude insultante envers la Cour, refusant de préciser s'il est le seul investisseur à être concerné par cette affaire, ce que pourra apprécier la juridiction alors concernée et déjà citée. Il semble que M. Wallon aura à répondre sur la question du dopage, mais ne peut être poursuivi sur la question du meurtre de Brice Gallopin, au même titre que M. Monroe, convaincu de dopage, mais qui a, soit une responsabilité plus que mesurée dans l'issue fatale de ce dossier, soit pas de responsabilité du tout, contrairement à son collègue Wolfgang Cheskowic, qui côtoyait la victime et qui était en lien plus qu'étroit avec les différents commanditaires et qui a même été particulièrement bien placé dans le dopage organisé. Pour tous ces développements, je demande que :

• M. Luc Derruinck soit condamné à vingt années de prison ;

• M. Pascal Grangier soit condamné à dix-huit années de prison ;

- Ms. Fabrice Bourgeois et Franck Schmidt soient condamnés à quinze années de prison, dont deux avec sursis ;
- M. Bernard Grizard soit condamné à dix années de prison, avec mandat de dépôt immédiat, une enquête étant diligentée à son encontre pour mise en place d'une activité frauduleuse pouvant mettre en danger la vie d'autrui et pour enrichissement personnel par prises illégales d'intérêts, et j'ajoute qu'il devrait être donné raison à la partie civile pour toute demande d'indemnisation ;
- M. Jan-Peter Casper soit condamné à huit années de prison, dont la moitié avec sursis, avec mandat de dépôt immédiat, un supplément d'enquête étant demandé à son encontre pour les mêmes raisons que pour M. Grizard, et enfin je veillerai à appuyer la demande d'indemnisation par l'UCI, puisqu'il en était le président au moment des faits ;
- M. Gilles Degrest soit condamné à cinq années de prison, dont une avec sursis, avec mandat de dépôt immédiat ;
- M. Wolfgang Cheskowic soit condamné à trois années de prison, sans sursis, avec mandat de dépôt immédiat, ainsi qu'un supplément d'enquête diligentée pour les mêmes raisons que messieurs Grizard et Casper ;
- M. Lucien Wallon soit condamné à 6 mois de prison avec sursis
- M. Elvis Monroe soit condamné à 6 mois de prison avec sursis, ainsi qu'un supplément d'enquête étant demandé à son encontre comme pour son ancien concurrent coureur

Le président demande à l'avocate de Mme Gallopin d'assurer la plaidoirie de partie civile. Celle-ci développe des conclusions assez similaires à celles de l'avocate générale, précisant qu'elle fait confiance aux jurés pour rendre un verdict le plus juste possible. Elle ajoute qu'elle se doit de demander des indemnisations pour sa cliente au titre essentiel d'un préjudice moral, qui a du mal à être évalué, d'autant qu'ils n'avaient pas d'enfant, ce qui a d'autant plus dévasté psychologiquement Mme Gallopin. Elle demande à la cour de condamner chacun des accusés dès lors qu'ils seront condamnés, y compris avec du sursis, à une somme de deux cent cinquante mille euros, à l'exception de Bernard Grizard, du fait de son intérêt financier et son appât du gain, à la somme d'un million d'euros et aussi de l'UCI à la somme de deux millions cinq cent mille euros, du fait de la responsabilité de la fédération dans un positionnement ayant favorisé le dopage, alors même que la lutte antidopage était la lutte qui guidait les actions de son mari, et même qui l'a amené à sa perte. Avant de finir, elle ajoute : « Je crois pouvoir, au nom de mon ancien client et ami, Victor Larcher, remercier Mme la vice-procureure de Paris pour avoir présenté ses excuses en son nom propre et dire qu'il les accepte ». Victor acquiesce de la tête. Dans la foulée, le président lève l'audience et donne rendez-vous à tout le monde pour le lendemain matin.

La fin du procès approche avec l'enchaînement des plaidoiries des avocats de la défense, le choix étant fait de l'ordre alphabétique pour chaque accusé. Le premier avocat est de fait le défenseur de M. Fabrice Bourgeois, qui réalise une plaidoirie habile, ciblée sur le fait que son client n'était qu'un comparse et que la condamnation demandée apparaissait comme trop élevée au regard de son implication vis-à-vis du meurtre, tout comme la somme jugée plus qu'excessive pour la partie civile. Vient ensuite le défenseur de l'ancien président de l'UCI, qui cherche à remettre en cause la véracité des preuves, insiste sur le fait que son client a toujours voulu défendre l'intérêt du cyclisme et va même jusqu'à remettre en cause la totalité de la démonstration autour du dopage existant et finit par demander l'acquittement de son client, ne souhaitant même pas, au bout de sa longue plaidoirie, commenter les autres demandes de l'avocate générale ni les indemnisations demandées par la partie civile, ce qui fait alors réagir la salle. C'est ensuite l'avocat du coureur Wolfgang Cheskowic qui prend la parole pour simplement demander une mesure de clémence, ne niant pas l'implication de son client dans le dopage, qui lui a déjà coûté sa fin de carrière, et met en avant qu'il n'est pas prouvé que son client a un lien quelconque avec les faits autour du meurtre. Le défenseur de Gilles Degrest ne remet pas en cause le rôle qu'a été le sien dans l'organisation du dopage, ni même avoir été en lien avec les malfaiteurs, mais ne peut entendre que son client aurait été le seul commanditaire, alors même qu'il aura fallu une décision venant de plus haut pour gérer le fiasco de l'action entreprise sur la personne de Brice Gallopin et ne comprend même pas qu'il n'y ait pas de sursis associé à la condamnation qu'il souhaite de toute façon trop élevée. Vient ensuite le défenseur de Luc Derruinck, dont la tâche est compliquée, puisqu'il s'agit du meurtrier avéré, sa plaidoirie cherchant juste à faire descendre la sentence. Avant la pause méridienne, c'est au tour de l'avocat de Pascal Grangier, qu'il est difficile, malgré une plaidoirie brillante, de considérer comme un simple comparse du fait de son lien avec le ou les commanditaires et c'est de plus celui qui aura pris les choses en main pour la dissimulation des preuves. Son avocat finit par demander une sentence moins élevée et l'introduction du sursis. Le défenseur suivant, à la reprise d'audience, est la principale avocate de Bernard Grizard, qui officie, en essayant de nier point par point l'implication de son client dans l'organisation du dopage, dans un rôle de commanditaire, préférant charger l'ancien président de l'UCI, la véracité de la preuve audio étant remise en cause totalement. Elle enjoint donc aux jurés de l'acquitter, ce qui impliquerait nécessairement que les demandes supplémentaires ne puissent pas être prises en compte. Vient ensuite l'avocate du deuxième coureur et celle-ci a la mauvaise idée de réaliser une très longue plaidoirie pour son client qui ne risque qu'une peine avec sursis, alors qu'il lui suffisait sûrement de mettre en avant qu'il pouvait y avoir des doutes sérieux sur le dopage, qui n'est pas jugé ici, mais qu'il n'a pas été prouvé d'implication dans le meurtre. L'avant-dernier est l'avocat du dernier malfrat, Franck Schmidt, qui a la bonne idée de reprendre les mêmes pistes de défense que son confrère défendant Fabrice Bourgeois, tout en faisant court, demandant aussi la réduction de la peine demandée. Pour finir, l'avocat de Lucien Wallon met en avant que son client n'est pas concerné par l'affaire du meurtre et qu'il ne faudrait pas qu'il soit condamné par principe du fait de ses liens avec des acteurs de ce forfait et il demande son acquittement. Le président demande si un des accusés a quelque chose à ajouter. Le premier à réagir est Wolfgang Cheskowic : « Mme Gallopin, votre mari a toujours été sympa et respectueux avec moi et je regrette profondément que l'issue ait été celle qui nous amène à cet endroit. Maintenant que je ne suis plus dans le circuit, que j'ai appris à regarder plus objectivement ce que j'ai fait, je sais que le combat de votre mari était juste et je pense que Victor devrait s'en emparer pour s'assurer que cela soit bien mené ». C'est ensuite à Jan-Peter Casper d'enchaîner : « Ce que je viens d'entendre me navre, puisque je m'insurge toujours sur les accusations de dopage organisé alors que j'étais aux responsabilités. Permettez-moi, madame Gallopin, de vous adresser mes plus sincères condoléances, votre mari ayant servi au plus haut point notre sport et sa profession. ». Autant dire que Muriel Gallopin est peu sensible à ce discours, voire même un peu offusquée, tout comme la salle. C'est ensuite Lucien Wallon qui prend la suite : « Mme Gallopin, mes sincères condoléances, et sinon, je suis plus que désolé pour ce qui vous est arrivé, ainsi qu'au sport et ce satané dopage. Quant à toi, Victor, je me dois de m'excuser pour mon attitude à ton égard et ne pas t'avoir pris au sérieux ». Plus personne n'ayant rien à ajouter, alors qu'il est seize heures quinze, le président invite les jurés à se retirer pour délibérer.

Marine et Victor, accompagnés de Muriel Gallopin et de Sylvie, rejoints par Marine, qui souhaitait être présente pour le verdict, s'installent en terrasse d'une brasserie proche du palais de justice. Sylvie leur explique qu'il est possible que le délibéré soit court, ce qui serait bon signe, mais qu'ils auraient le temps de manger un bout, vu le nombre d'accusés. Ce temps leur permet d'abord de décompresser, puis de refaire un peu le procès, tout en se disant qu'il avait été bien géré, que des évidences étaient affirmées au grand jour et que les choses ne pourraient plus être comme avant. Il est vrai que pendant ce temps, les jurés populaires sont installés dans la salle de délibération, où les rejoignent assesseurs et président de la Cour. Ce dernier leur explique la procédure, insistant que la discussion entre eux doit permettre de lever au maximum les incertitudes, avant que chacun n'ait à se prononcer sur les questions relatives à chaque accusé, qu'il s'agisse de la culpabilité des faits reprochés, en prenant en compte l'aspect accidentel, non prémédité et prémédité, ou encore de l'existence de circonstances atténuantes, ce qui permet ensuite de définir le quantum de la peine. Il insiste aussi sur le principe fondamental de la présomption d'innocence, qui implique de se référer à des preuves pour condamner quelqu'un, même si le législateur a aussi précisé la notion d'intime conviction de chaque juré et le jugement au nom du peuple français en son âme et conscience. Les discussions tournent beaucoup autour de la notion de réalité du mobile du fait de l'existence d'un dopage organisé, ce qui ne peut laisser les auteurs du crime comme seuls coupables, mais aussi sur la nécessité de responsabiliser tout ce monde quant à l'indemnisation demandée par la partie civile. Au final, le délibéré aura duré environ quatre heures, le président devant s'absenter quelques minutes avant de retourner en salle d'audience pour répondre à un appel urgent provenant de la chancellerie. Alors qu'ils en sont à leur deuxième tour de café après un repas léger, il est un peu plus de vingt heures trente quand le patron de la brasserie signale que les jurés ont rendu leur verdict, l'établissement ayant un lien privilégié avec le palais de justice. À peine dix minutes plus tard, chacun s'est réinstallé dans la salle, les jurés se réinstallant, dans le même temps que l'avocate générale, ainsi que les accusés et leurs avocats. Le président prend la parole : « Avant d'annoncer le verdict, et vu que les débats sont clos et que le délibéré a eu lieu, je peux m'adresser à M. Victor Larcher, ici présent, pour lui signifier, après que le garde des Sceaux se soit mis d'accord avec le président de la Cour de cassation, que l'institution judiciaire regrette le traitement auquel il a été soumis pendant plusieurs semaines, le remercie pour sa collaboration ayant permis la manifestation de la vérité et lui présente ses excuses au nom du peuple français. » À ces aspects très solennels, Victor ne peut être qu'ému, et même incapable de sortir un mot, acceptant la parole de l'État par une inclinaison de la tête, ce qui ne l'empêchera pas d'aller remercier directement le président après l'énoncé du verdict. Le président reprend la parole, non sans avoir invité les accusés à se lever :

« Le jury, après en avoir discuté, échangé autour des notions de culpabilité, de préméditation ou non, de facteurs aggravants ou des circonstances atténuantes, sans oublier la prise en compte des demandes supplémentaires de l'avocate générale, mais aussi les demandes de la partie civile, a rendu le verdict suivant :

- M. Fabrice Bourgeois est condamné à douze années de détention, dont deux à titre de sursis, le temps déjà passé en prison devant être décompté, devant y retourner à l'issue de l'audience

- M. Jan-Peter Casper est condamné à six années de détention, dont trois à titre de sursis

- M. Wolfgang Cheskowic est condamné à deux années de détention, dont une à titre de sursis, ainsi qu'un mandat de dépôt immédiat, impliquant que monsieur dormira dès ce soir en prison.

- M. Gilles Degrest est condamné à trois années de détention, dont une à titre de sursis, ainsi qu'un mandat de dépôt immédiat, impliquant que monsieur dormira également en prison dès ce soir.

- M. Luc Derruinck est condamné à quinze années de détention, le temps déjà passé en prison devant être décompté.

- M. Pascal Grangier est condamné à douze années de détention, le temps déjà passé en prison devant être décompté.

- M. Bernard Grizard est condamné à six années de détention, ainsi qu'un mandat de dépôt immédiat, impliquant que monsieur dormira également en prison dès ce soir.

- M. Elvis Monroe est condamné à cinq mois de détention avec sursis.

• M. Franck Schmidt est condamné à douze années de détention, dont deux à titre de sursis, le temps déjà passé en prison devant être décompté, devant y retourner à l'issue de l'audience.

• M. Lucien Wallon est condamné à trois mois de détention avec sursis.

Le jury est également favorable à ce que le procureur diligente tout supplément d'enquête relatif à mise en danger d'autrui au sein d'une entreprise criminelle pour messieurs Casper, Cheskowic, Degrest et Grizard et pour ce dernier la possibilité de poursuite au regard de prises d'intérêts illicites. J'ajoute pouvoir, une fois le verdict rendu par le jury populaire en matière de condamnations pénales, statuer sur les demandes de la partie civile. Ainsi, la Cour déclare que Mme Muriel Gallopin sera indemnisée à hauteur de :

• cent mille euros (de l'ordre de six cent soixante mille francs, l'euro étant devenu monnaie officielle depuis le 1er janvier) par monsieur Lucien Wallon,

• cent cinquante mille euros (de l'ordre d'un million de francs) par monsieur Elvis Monroe,

• deux cent mille euros (de l'ordre d'un million deux cent mille francs) par messieurs Bourgeois, Cheskowic, Degrest et Schmidt,

• deux cent cinquante mille euros (de l'ordre d'un million cinq cent mille francs) par messieurs Derruinck et Grangier,

• sept cent cinquante mille euros (de l'ordre de quatre millions cinq cent mille francs) par monsieur Grizard,

• deux millions d'euros (de l'ordre de douze millions de francs) par l'UCI.

Vous avez à compter de ce 19 juin 2002 cinq jours pour faire appel auprès de la Cour de cassation. »

Alors que les accusés sont raccompagnés à l'extérieur de leur box, certains pour aller vers le centre de détention, les autres sortant libres, Victor va donc remercier le président du tribunal, tandis que Sylvie fait le compte auprès de Muriel : « Cela vous fera au final quatre millions trois cent mille euros à titre d'indemnisation. »

« C'est en effet une somme conséquente, mais est-elle garantie ? »

« Oui, puisque tout condamné non solvable verra le fonds d'indemnisation géré par l'État venir pallier le mis en défaut. Vous avez déjà une idée de ce que vous allez faire d'une telle somme, une fois que vous l'aurez perçue ? »

« Je pense. D'abord, vous réglez vos honoraires, et je pense qu'on peut les réévaluer ! »

« Pas du tout, on s'était mis d'accord sur 1 % des sommes en jeu, soit quarante-trois mille euros, ce qui me convient tout à fait ! »

« D'accord, après y avoir réfléchi, je pense avoir besoin de me changer les idées et je crois que je vais partir pour une année sabbatique et faire un tour du monde. C'était quelque chose qu'on s'était promis avec Brice, mais ce sera sans lui physiquement, mais avec lui dans l'esprit. Avec ce qui restera, et je pense que ce sera plus de 75 % de la somme totale, je compte bien l'utiliser dans toute démarche valable visant à lutter contre le dopage. Je pense d'ailleurs que nous pourrions en reparler avec Victor, lui pour le travail sur le fond et vous pour m'aider à faire fructifier ce pactole ! »

« Ça me convient et je pense que Victor sera partant ! »

Il est environ vingt-et-une heures trente, lorsque la petite troupe se réinstalle dans la brasserie, qu'ils avaient quittée à peine une heure plus tôt, histoire de marquer le coup à l'issue d'un procès qui restera tout de même usant. C'est finalement le patron de la brasserie, ayant reconnu le champion, qui leur offre la coupette de champagne. Une bonne demi-heure plus tard, chacun retourne vers ses pénates, pouvant passer à autre chose.

Épilogue

En arrivant chez lui, Victor se refait le film rapidement du procès et en tire certaines conclusions : le procès a répondu plus que favorablement aux attentes de la société, de la partie civile et de ses propres attentes. Il a de plus eu droit à des excuses officielles de l'institution judiciaire, mais aussi de la part de l'ancienne procureure d'Evry, qui avait été ô combien agressive à son égard, et de même de la part du premier chef d'enquête. Il a pu apprécier les propos de son ancien leader, et surtout de l'ancien président de la FFC, alors que celui de l'UCI restait fidèle à lui-même, tout comme son ancien patron, ce qui ne les empêcherait pas de payer la facture !

Il ne pouvait donc être que satisfait des condamnations, et notamment pour Muriel, devenue veuve bien trop tôt et il avait encore été impressionné par le savoir-faire de son amie Sylvie, autant comme partie civile que pour sa propre défense. Il était fier aussi de pouvoir compter sur son épouse, mais aussi sur l'intérêt que sa fille avait porté à l'affaire. Ses femmes à lui étaient brillantes, l'une dans sa profession, l'autre dans ses études, et toutes deux étaient des êtres sur lesquelles il était possible de s'appuyer. Quel heureux homme de pouvoir compter sur une famille unie ! d'autant que ses parents l'avaient parfaitement soutenu, et même du côté de sa belle-famille : beaux-parents comme beau-frère.

Il y a juste l'immense regret de la perte de son ami, d'un sentiment de gâchis à cause de quelques personnes prêtes à sacrifier la vie humaine pour quelques profits monétaires. Le procès était une sorte de reconnaissance posthume de son travail et de la lutte antidopage que Brice avait initiée. Encore qu'en y réfléchissant, le coup de filet pendant le tour de France 1999 avait médiatisé la démarche, mettant certains responsables devant leurs responsabilités. Ainsi en France, quelques avancées légales avaient commencé à freiner le dopage en instaurant plus de contrôle au niveau des sportifs, y compris lors des entraînements, quitte à prendre le risque de diminuer les performances des sportifs français, alors que cela n'était pas le cas pour les autres nations. Pour autant, dans certains sports, comme le cyclisme, il y a eu une inflexion au niveau européen en 2001, notamment avec le départ de Jan-Peter Casper de la tête de l'UCI. Mais on était encore loin d'une avancée généralisée, même si le CIO s'en était saisi dès 2002 en vue de l'organisation des JO d'Athènes en 2004. Pendant ce temps, Victor avait pris du temps pour lui, notamment pour écrire un livre qui ne serait publié qu'après le procès, mais aussi pour sa famille, se rapprochant encore de sa femme et plus proche qu'auparavant de sa fille, de manière à pouvoir l'aider si besoin, et avec la limite de ses moyens, dans la poursuite de ses études. Petit à petit, il avait été amené à collaborer avec le cabinet du ministère de la Santé et avec celui du secrétariat aux sports. Lorsque sa fille obtient son Bac avec mention « très bien » en 2005, il acceptait alors d'entrer au ministère de la Jeunesse et des Sports pour remplir une mission taillée sur mesure pour lui, c'est-à-dire un poste de liaison interministérielle entre le ministère de la Santé et celui de la jeunesse et des Sports, en lien étroit avec le cabinet du 1er ministre, le fond du dossier étant la lutte antidopage. En 2007, après l'élection présidentielle, il est reconduit dans cette mission si particulière, l'enjeu étant d'avancer au niveau international, d'où des liens à nouveau interministériels visant le ministère des Affaires européennes et le ministère des Affaires étrangères. Ce qu'il avait pu faire en France devait petit à petit devenir la règle internationale, même si rien n'était simple en la matière. Pendant ce temps, ses protégés étaient tour à tour numéros 1 et 2 mondiaux jusqu'en 2004, profitant de l'avancée que leur avaient donnée les travaux de son ami Brice et du fait du retard pris par les autres équipes, de plus devant se réorganiser par rapport à la lutte antidopage. Dans les années suivantes, ils gèrent leurs fins de carrière en répartissant leurs efforts en fonction de leur état de forme respectif, remportant encore des épreuves importantes, mais contestés de plus en plus par d'autres champions naissants. La satisfaction vient alors du fait que ces champions se réfèrent à des performances qui ne peuvent être soumises à controverse !

Qu'avait-il réussi à mettre en place sur le territoire français de 2003 à 2007, avec une accélération sur les deux dernières années ? Il s'est agi de structurer d'abord les sports d'exercice individuel, comme le cyclisme, l'athlétisme, la boxe, l'escrime, le judo et tous les sports plus ou moins apparentés, le tennis étant le plus compliqué à appréhender, parce que plus difficile à évaluer quant à l'effort distillé. Les services de l'INSEP, en lien avec l'INSERM et l'académie de médecine ont pu affiner l'équation de base trouvée par Brice Gallopin, ce qui n'empêchait aucunement de développer le passeport longitudinal, visant à contrôler l'évolution des performances sur la durée, en partant de celles recueillies en étant mineur, cadet ou junior selon les sports. Petit à petit, il était possible d'accéder aux sports collectifs, tout en agissant sur d'autres leviers pour éviter le dopage. Pour sensibiliser le futur sportif, il avait réussi à ce qu'on initie un maximum de jeunes aux apports positifs de la pratique d'une activité physique, ce qui impliquait d'augmenter le temps d'EPS à l'école. Cette démarche incombait alors aux professeurs d'EPS, ainsi qu'à des relais médicaux du ministère, le but étant de sensibiliser à une activité saine, au danger du dopage, mais aussi à l'immoralité du recours à des substances interdites. Il ne suffisait pas d'agir dans la prévention auprès des jeunes, des sportifs eux-mêmes, mais il fallait être capable de faire pression sur l'environnement du compétiteur. Ainsi, l'entourage familial pouvait être passible d'amende, les agents également ainsi que des sanctions professionnelles. De même pour les employeurs pour le travail au sein d'une équipe. La mesure phare, difficile à obtenir, mais devant être efficace était la responsabilisation du médecin en charge du suivi du sportif, dès lors qu'un dopage était mis en évidence, le risque maximal pouvant être la radiation à vie de l'exercice médical. Ainsi, on pouvait espérer que ce soit le médecin qui veille et contrôle au mieux l'entourage du sportif. Ce point nécessiterait beaucoup plus de temps pour être généralisé sur le plan international, même si le CIO finit par adopter beaucoup de ses préconisations. À partir de 2007, il est possible de généraliser les mesures visant l'entourage professionnel du sportif, tant en individuel qu'en collectif. Un effort significatif est celui des moyens financiers obtenus, sorte de garantie de la volonté du CIO et des organes officiels internationaux de l'ensemble des sports d'agir en la matière. En parallèle, il y a un dosage subtil sur plusieurs années pour permettre l'équilibre financier, que ce soit la rémunération des athlètes, la place et le retour sur investissement des sponsors, les droits de retransmission et la place devant être occupée par les médias, tout cet ensemble devant pour autant garantir l'attractivité des compétitions, l'aléa du sport finissant par être mieux respecté. La dernière victoire de Victor, peu de temps avant qu'il quitte sa mission ministérielle, est d'obtenir que tout sportif convaincu de dopage enclenche deux actions : celle visant à déterminer les responsabilisations des uns et des autres dans son entourage et les sanctions éventuelles, mais aussi la destitution de l'ensemble de ses titres et médailles, l'annulation des records éventuels et le remboursement des sommes gagnées.

Alors qu'il arrive à cinquante-deux ans, que sa fille finit des études brillantes avec une thèse en histoire et en archéologie, il décide de partager son temps entre des soutiens directs à des associations visant le développement positif des sportifs, avec le concours financier de Muriel Gallopin, et des conférences dans le monde entier portant sur l'éthique dans le sport.

Il se dit jour après jour que son ami Brice n'est au moins par mort pour rien et qu'il y a plus de chances que les roues tournent toutes aussi vite !

Imprimé en Allemagne
Achevé d'imprimer en novembre 2021
Dépôt légal : novembre 2021

Pour

Le Lys Bleu Éditions
40, rue du Louvre
75001 Paris